Bright Young People and Conservative Modernity

Dysthanasia of English Modernism

ブライト・ヤング・ピープルと保守的モダニティ

英国モダニズムの延命

高田英和
大道千穂
井川ちとせ
大田信良
［編著］

小鳥遊書房

【目次】

【凡例】

◉ Notes（註）とWorks Cited（引用文献）は各章末にまとめた。

◉ Notes（註）は該当箇所に［　］の数字で示した。

◉ 文献の引用ページは本文中に（　）で示した。

はじめに

「ブライト・ヤング・ピープル」の（不）可能性と（反）リベラリズム

高田 英和

1．はしゃぐ若者たち？
——リベラルな英国と「ブライト・ヤング・ピープル」の登場

20世紀のはじめの、正確には1920年代のはじめの、英国は主としてロンドンに、出現したとされる、人びとを、「ブライト・ヤング・ピープル」（Bright Young People）と呼び、その彼ら／彼女らの日常の振る舞いは、たとえば、次のようであったとされている【図1】。

【図1】“A ‘Baby’ Party in a Public Square” from *Punch* [Almanack Number, Nov. 4, 1929].

ここからは、一言で、現在（「現代」）のことばで、記すなら、「パーティー・ピープル」と言っても、良いくらい、今を楽しむ、今この瞬間こそをあるがままに生きる、そのような自由な若者たちのすがた・かたち、生きざまが見てとれよう。

この、若者たちの、ある意味、突飛な行動・活動は、当時の英国のメディアを大いに騒がせ、にぎわせていたという。それは、以下の、数多の、新聞でも、確認することができる。例をあげると、*Daily News* (Wednesday 17 July 1929) においては、"the Bright Young People, who last week held a baby party at which some of the guests arrived in perambulators" (9) と書かれていて、そして、*Daily Herald* (Wednesday 17 July 1929) には、次のように記されている。

> The Bright Young People, who usually confine their silly capers to the West End of London, went last night to the Thames Embankment, and after their recent performance at the "Baby Party" in the square at Rutland Gate, Knightsbridge, which disgusted even their plutocratic neighbours, held a "Tropical Party" on board the Frienship, a vessel which is moored near the Charing Cross Bridge. (1)

さらには、*Northern Daily Mail* (Friday 12 July 1929)には、"One hardly knows what to make of this year's Bright Young People's parties, of which the much condemned 'baby' party in Mayfair was the latest example" (2) と載っている。

このような若者たちが生きたという、20世紀初頭の1920年代は、文学史上においてはいわゆるハイ・モダニズムの時代だが、それと同時に、前世紀末ごろから登場し、その種類や発行部数を急速にのばした、一般大衆向けのタブロイド紙が興隆した時期でもあった。こうしたタブロイド紙を大いににぎわせたのが、この「ブライト・ヤング・ピープル」と大衆メディアに名づけられた、上流階級の一部の若者たちであった。ただし、日夜を問わず派手なパーティーや大掛かりな遊びや悪ふざけに興じる「ブライト・ヤング・ピープル」の快楽主義的で退廃的な文化と、モダニズム芸術の接点は、従来のいわゆる真正の「英文学」研究においては、これまで十分には議論されてはこなかったし、特に英国モダニズム文学研究においては軽視されがちであったのだろう。たとえば、T. S. EliotからF. R. Leavisまでの仕事、そこから離反した道を歩いたMartin Greenの文化史的・「文化心理学的」な研究——Raymond Williamsの批判的継承・修正とは別に——にはじまり、近年までさまざまに実践される文化研究・文化史の仕事はいくらでもあるし、ある意味、英国的な狭義のモダニズム文学研究で断片的・部分的に都合よく言及されたり踏み台にされたりすることはあるとしても、である。

しかし、実は、「衰退」していく大英帝国の中枢で活躍した親たちの旧来の価値観や生活様式など、すべてに反抗した彼ら／彼女らと、それまでの英国小説の在り方に異を唱えて勃興したモダニズム文学は、互いに相容れないものとはいえない。両者は、17世紀にはじまる（ヨーロッパを起点とした）モダニティの大衆化という歴史的可能性の条件を共有し、英国の文学・文化空間において共存し対立しつつも、交錯していたはずであるだろう。他方、戦間期英国のナショナルな文化とは対照的なコスモポリタンなハイ・モダニズムもまた、たとえば、ヴァージニア・ウルフのそれがそうであるように、1920年代に最盛期を迎え、その後は、なんとなく、ぼんやりと下火に向かっていったようであるが、このことは、上記の「ブライト・ヤング・ピープル」およびその文化と、関連しているはずであろう。というのも、モダニズム（特にブルームズベリー・グループのそれ）が、高尚であったこと、と同時に、生／性に対して奔放であったこと、さらには、レイト・モダニズムというかたち・すがたで存続・延命していたこと、を鑑みれば、モダニズムとこの若者たちの文化とのあいだには、なにがしかの、ひょっとすると密接な、関係があるかもしれないし、一度は、考えてみるのも良いかもしれない。

パブリックスクール出身の知的貴族階級の男性たちとそれを取り巻く女性たちが、ハイ・モダニズムの時代に、何を思い、どのように生きたか、ということを「リ・デザイン」することで、モダニティの大衆化がさらにグローバル化した21世紀の今、英国モダニズムの文学および文化をより幅広くトータルにとらえ読み直すことを、本書は、試みるものである。

2.「ブライト・ヤング・ピープル」の不可視化と「「コンサバティブ」・モダニティ」の萌芽

「ブライト・ヤング・ピープル」とその文化の、具体的な作品や事例、事象を、挙げろ、と言われれば、作品のことは、ちょっと、おいておいて、まずは、事例や事象になるが、わたしが思うに、それは、端的には、二つで、まずは、①「立憲君主制」の確立、あるいは、開かれた／一般化された「王室」の誕生、そして、②それによるさまざまに変容し転回する「資本主義」の隠蔽、の二点になる。特に、①の、「立憲君主制」の確立、あるいは、開かれた／一般化された「王室」の誕生は、20世紀の革命すなわちロシア・ソ連による社会主義の誕生という非常に大きな出来事に対応・対処するため、すなわち、反共、との密接な関係になるし、そして、②の、それによるさまざまに変容し転回する「資本主義」の隠蔽というのは、人びとその生活や生き方にとってのその土台・基礎／基盤としての「金（money）」の重要性の確立、または、人間にとっての「金」の重要性の内面化、と言っても良いかもしれないし、これと密接な関係がある、ということが、とても大事で、要は「大衆化」がそのポイントだということになる。

でも、というか、それよりも、わたしにとって重要なのは、以下の点で、それは、詰まるところ、上記の、①と②の、言い換えになるのだが、「ブライト・ヤング・ピープル」は、要は、「神」と「神」側の人物・子供たちで、その彼ら／彼女らが、「神」側ではない、ふつうの人びとと、メディアの／という「力」によって、メディアにより創られた「もの」によって、あるいは、媒介されて、一つに、まとまる、ということが、この文化の特徴だということであり、これは、つまりは、ここで、ある意味、(20年代に)「大衆化」=「大衆」文化が、きちっと形成、強化されたのだ、と言っても良いであろう、ということになる**【図2】**。換言すると、これは、たとえば、Alison Lightが*Forever England*において示した、(英国の30年代の)

【図 2】“A Cocktail Party” from Balfour, frontispiece.

「「コンサバティブ」・モダニティ」（“‘conservative’ modernity”）すなわち“old”と“new”という二つの概念が、一つになる、より正確に言えば、対立項ではなくなる、ことと同じだということになろう。[1]

戻って、「ブライト・ヤング・ピープル」という人たち（特にその中心人物の三人、the Prince of Wales、Harold Acton、Brian Howard）が、たとえば、具体的な文芸作品などが無い、不在であるのは、（繰り返しになるが、）彼らが「神」と「神」側の人物なので、その必要性がなく、すなわち、存在、振る舞いや生き方、それ自体が、ある種、作品となっている、からなのであるだろう。特に、わたしにとっては、30年代になってこそ、この「ブライト・ヤング・ピープル」の文化の影響が、そのかたちとすがたは変わり廃れしかも不可視化された状態となって、表れているのだととらえていて、先ほど少し言及した、Lightの*Forever England*の例も、30年代に、“old”と“new”が対立項ではなくなるという事態が、目に見えるかたち・すがたとして表れるが、その萌芽的なものとでもいうのか、そのような考え方や認識の仕方は、この20年代の、「ブライト・ヤング・ピープル」の文化、すなわち、ハイ・カルチャーとポピュラー・カルチャーの融合、これが下地を整え且つ存在してこそ、可能だったのではないか、ということになる。

それは、たとえば、（今回の場合だと、第3章になるが、）C. S. LewisやJ. R. R. Tolkienの「インクリングズ」（Inklings）は、「ブライト・ヤング・ピープル」の亡霊、影のうえに成り立っているし、で、わたしとしては（前にウルフの学会でも話したし、それをペイパーにもしたけど）A. A. Milne の*Toad of Toad Hall*（1929）に、「ブライト・ヤング・ピープル」の文化の影響が、残滓的に存在していて、と同時に、花開いている、と捉えているし、さらに、この、Milne の *Toad of Toad Hall* に表象される「ブライト・ヤング・ピープル」の問題は、詰まるところ、「モダニティ」の問題であるということが非常に重要となる。

これは、次の二点とも、関連していて、①たとえば、P. L. Traversの*Mary Poppins*（1934）のヒロインの女性像（old woman / angel in the houseとnew woman）の曖昧さも、②あるいは、Aldous Huxley の *Brave New World*（1932）の示した問題、すなわち、ユートピアとディストピアの差異の不確定性も、この、30年代、特有の、「ブライト・ヤング・ピープル」の衰退あるいは不可視化の威力による、「「コンサバティブ」・モダニティ」の萌芽または出現という衝撃、その一つの例として、挙げることができるだろう。と言うか、そのようにとらえなければならないだろう。

3.「ナショナル／グローバル」あるいは「内と外」と「ブライト・ヤング・ピープル」の文化

保守化とモダナイズ化という、これら二つの側面を同時に見せる、「ブライト・ヤング・ピープル」の時代における、リベラルな英国とその文学・文化について、さらに言えば、Jed Esty の*A Shrinking Island*が提示する、物語、図式も、基本的には、この、「「コンサバティブ」・モダニティ」を根底に置いて、練られたものなのだろう。Esty については、もう少し言うと、（ただ、わたし的には、Esty の批判は、もうすでに、一度、前にやっているので[2]、あれだけど、でも、一応、ここで、もう一度、言っておくけど）Esty の示す、30年代にイギリスは縮小するという物語（ちなみにこのEstyの本のもとの博論は1996年）、それが、ある種、嘘ででっち上げたものだということは、端的には、図らずも、9/11（The September 11 attacks）以後のアメリカの行動が物語っていることによって、はっきりとわかるし、つまり、内向きと外向きの行動や政策は、矛盾などしていなく、相互の関係にある、ということだし、言ってみれば、右と左、あるいは、旧（古）と新、などの、概念が、二項対立として、成り立たない、という事態が起こっている、ということになる。

このように理解すると／逆に言うと、20世紀はじめの、「ニュー・リベラリズム」は、詰まるところ、アメリカのリベラリズムと、ソ連の社会主義（・共産主義すなわち全体主義）に対する、イギリスの新しいリベラリズムだったという点こそが非常に重要なのであり、それは、言い換えれば、“social imperialism / liberalism”と言っても良いだろうし、あるいは、Tony Blairの第二段階としての、「第三の道」としての、ネオ・リベラリズムに至るものだと表現できるし、その萌芽的なものとしてとらえることが肝要であるだろう。そう考えると、一般的な意味での、Milne の *Toad of Toad Hall* や、自動車と石油ならびに「シェル・ガイド」の意義もまた、そのとらえ方が変わってくるはずだ。特に、この一連の、自動車／石油／「シェル・ガイド」の重要性は、逆に言えば、Esty の言う、1930年代に英国がシュリンクしたのだということの、ある意味、嘘と出鱈目さを、暴くことに繋がるだろうし、「ブライト・ヤング・ピープル」の／という文化が、実のところ、グローバル化していたということが示しているように、Estyの提示する、30年代の英国の縮小という物語は、この英国のグローバル化を、不可視化し、隠蔽していることがわかろう。

Alison Light の本に戻れば、Light が Paul Fussellの（*Abroad* における）図式を取り上げたのを、われわれは、別々の、内のLightと外のFussellの図式を、同時に可能としたのが、英国のリベラリズムこそであるのだ、ということを、理解しなければならない。言い換えれば、Light と Fussell の示した問題は、それらの問題を、英国の、ナショナルの問題として見る、と同時に、トランス・ナショナルの問題として見る、ということが、ポイントであるということになる。つまりは、英国の、「「コンサバティブ」・モダニティ」という問題を考えるということは、「ブライト・ヤング・ピープル」の問題を考えるということであり、それは、すなわち、たとえば、Martin Green（の *Children of the Sun*）の「ブライト・ヤング・ピープル」が上流の人びとなのであるのに対して、D. J. Taylor（の *The Bright Young People*）のそれは下層の人びとを対象にしていると、一見すると、これら二つの「ブライト・ヤング・ピープル」は対立しているように見えるが、実のところ、上と下という構図・関係性の曖昧さを表しているということであり、それゆえに、この点にこそ、この「ブライト・ヤング・ピープル」の重要性があるということになる。あるいは、田舎のなかに都会性を求めたり、都会のなかに田舎性を求めたり、そこから、「郊外」という、田舎でもあり都会でもある、都会でもあり田舎でもある、そのようなものが生まれ、それらは、すべて、言うなれば、30年代の英国のリベラリズムが可能としたことなのであるとも、われわれは、理解しなければならないし、それを言えば、the Prince of Walesが、たとえば、ナチス・ドイツ、と接するという行動自体も、この流れのなかで、とらえないと、その意味と意義が、わからないはずだ。

そして、この関係性は、(1950年代に創造、いや、捏造されたとされる)「英文学」の制度化とも、繋がっていて、関連しているし、それは、すなわち、モダニズムとリアリズムの対立と、それによる、モダニズムの優位という構図となって表れていて、そのような「かたち・すがた」として引き継がれているし、このようにとらえなければならない。言い換えれば、「英文学」の制度化ならびにモダニズムの中心化を、可能としているのが、(1930年代の、「ブライト・ヤング・ピープル」の) 英国の、リベラリズム、なのである、ということだ。さらに、このことは、たとえば通常よく言われるように、英国の王室が、Diana (the Princess of Wales) によって、大衆化されたというのは、実のところ、「ブライト・ヤング・ピープル」、その非常に特別で代表的且つ中心的な人物の、 the Prince of Wales（のちの、Edward VIII）が、その下地を整えていたからこそ、可能だったということにも至るのであり、言い換えれば、ある意味、1930年代のEdward VIIIの大衆化が不可視化されていたのに対して、1980、90年代の Diana のそれは可視化されたということに、この大衆化という事象、現象の重要性が、存在してもいるということだ。

ここまで言えば、いや、言わなくても、もうそろそろ、われわれは、意識、無意識にかかわらず、(1920年代をも含めて1930年代から今現在までの) あらゆる事象と問題を、リベラリズムあるいはリベラル史観のうえで、考え、戯れるということを、本気でやめても、すてても、良いのではないだろうか。というのも、それが、つまるところ、「モダニティ」(近代性) の名のもとに (その自由主義をも含めて) 個人主義と資本主義を推し進め、と同時に、たとえば、極めて特異な事象・現象としての、自助努力と自己責任、および、格差と二極化を、自然視、自然化し、われわれが生きづらい「社会」と文化にした／しているのだから、いい加減、次のステップ、ステージに進んでも良いはずだ。本書の、各章の論文は、すべて、これらのことを前提にして書かれたものであり、そのようにして書かれている。そして、そのときのキャッチ・フレーズ／スローガンは「“Bright Young People”で、リベラリズムを、疑え！」となる。

さぁ、「ブライト・ヤング・ピープル」の世界へ、ようこそ。[3]

Notes

[1] Alison Light の *Forever England*、その――社会のない「社会」においての――文化的で「正しい」意義については、たとえば、Kit Kowol の論文、ならびに、中央大学人文科学研究所編の本を参照。Kowolの論文、そのポイントは、端的に言えば、リベラル (モダニスト) 史観にあると、わたし／本書はとらえている。それは、すなわち、この Light の本、*Forever England* のポイントが反リベラルという点にこそ存在しているはずなのに／にもかかわらず、この論文は、そのようには、とらえられてはいない、いや、より正確には、とらえられない／とらえたくない、ということにある。つま

りは、この論文は、Lightの本における非常に重要な、反リベラルという視点を、リベラル史観に回収してしまっている。このことは、中央大学人文科学研究所編の本、論集についても、同様である。ただし、注目すべきは、そのようなリベラルな「正しさ」を前提にして全体を構成している本・論集においても、唯一、最後に収録されている論考は、それとは趣きが異なっているという点であり、これは、決して見逃してはならない。（それはその論考のタイトル——「ミドルブラウ」ではなく「リアル」——に明確に表れている。）と言うのも、その論考は、換言すると、反リベラルの観点をきちんと含み持っているのであるからだ。因みに、このLightの本の、「文化」的ではなく、社会的で、正しい、意義については、①Lightが「赤（コミュニスト）」で「左（レフト）」で且つ「フェミニスト」であること、②Lightがそのうえで本を書いていること、③Lightが新自由主義を批判しその文化的ロジックを暴いていること、すなわち、Lightが現在の（グローバル化の）文化／「社会」に対して異議を唱えているという点が非常に重要であると、わたしは理解している。

［2］この点に関する詳細な議論は、拙稿"Empire and New Liberalism"を参照。

［3］本書（その第一部）は、そのもとを、日本ヴァージニア・ウルフ協会第41回全国大会シンポジウム「Bright Young Thingsの／とモダニズム」（講師：髙田、大道、井川）においている。そのシンポジウムをやって、思い、気づいたことは、二点ほどあり、それは、①大道の、主軸の研究としての、Dorothy Richardson、そのRichardsonの、たとえば、「グダグダさ」も、基本的には、真正な「英文学」としての「モダニズム」文学とその研究に、反しているのだろうし、そして、②井川の言う、「精神分析」の批評ならびに「マルクス主義」のそれこそが、実のところ、キャノンとしての「モダニズム」文学の重要性を、補完してしまっている、というのも、根本的には、真正な「英文学」研究を批判しているのだろう。これら二つの点は、わたしの関心に引きつけて言えば、それは、「リベラリズム」の拒否、否定のうえに、成り立っている、ということになるし、換言すれば、真正な「英文学」としての「モダニズム」、その研究と、それと相互の関係にある「リベラリズム」——近年グローバル・エリートが躍起になっている「リベラルな国際秩序の再建」——、それら両者の「正しさ」を、きちんと批判する、ということに、これら二点の重要性がある、ということになる。

Works Cited

Balfour, Patrick. *Society Racket: A Critical Survey of Modern Social Life*. John Long, 1933.

Daily Herald. No. 4189. Wednesday, July 17, 1929.

Daily News. No. 23976. Wednesday, July 17, 1929.

Esty, Jed. *A Shrinking Island: Modernism and National Culture in England*. Princeton UP, 2004.

Fussell, Paul. *Abroad: British Literary Traveling between the Wars*. Oxford UP, 1980.

Kowol, Kit. "An Experiment in Conservative Modernity: Interwar Conservatism and Henry Ford's English Farms." *Journal of British Studies* 55 (October 2016): 781-805.

Light, Alison. *Forever England: Femininity, Literature, and Conservatism between the Wars*. Routledge, 1991.

Northern Daily Mail. No. 15982. Friday, July 12, 1929.

Punch. Vol. CLXXVII. 1929.

Takada, Hidekazu. "Empire and New Liberalism: Anti-Bildungsroman of D. H. Lawrence and J. M. Barrie." *D. H. Lawrence Studies*. Vol. 20, No. 3, D. H. Lawrence Society of Korea, December 31, 2012, 135-148.

中央大学人文科学研究所編『英国ミドルブラウ文化研究の挑戦』中央大学出版部、2018年。

第1部

Bright Young People and Modernity

ブライト・ヤング・ピープルの文化とモダニティ

第1章

洒落男(ダンディー)たちの戦間期
——ブライト・ヤング・ピープル、王室とメディア、そしてモダニズム

大道 千穂

1. はじめに

T. S. エリオットの『荒地』、ジェイムス・ジョイスの『ユリシーズ』、ヴァージニア・ウルフの『ジェイコブの部屋』が出版された1922年は、モダニズム文学のきわめて重要な作品が一度に出版された「驚異の年」と呼ばれてきた。しかしこの年に、実はもう一作、興味深い雑誌も出版されていた。イートン校の生徒であった16歳のブライアン・ハワードが、同じ学校の友人であったハロルド・アクトンの助けを得て編集、出版した学校誌、『イートン・キャンドル』である。結局この一巻限りで終わりになったこの雑誌は、世紀末に洒落男(ダンディー)、風刺画家(カリカチュアリスト)、ユーモリストとして名を馳せたマックス・ビアボームの早期作品を模倣して作られた。ショッキングピンクの表紙に金色の文字を施した外装に、良質な紙にマージンを広くとった中身を備えた美しく贅沢な一冊だった(Lancaster 55)。雑誌の中身はほとんどがハワードとアクトンが書いた詩や批評であったが、その他にエドマンド・ゴスがこの雑誌のためにハワードに提供したアルジャーノン・チャールズ・スインバーンの未発表の原稿や(Lancaster 2)、オズバート&サシャヴェレル・シットウェル兄弟、モーリス・ベアリング、オルダス・ハクスリーなどイートン校出身の先輩たちからの詩や散文の寄稿が含まれていた。エズラ・パウンドに着目する上級誌などまだほとんどない時代にあって、詩評「新しい詩(“The New Poetry”)」においてパウンドや H. D.(ヒルダ・ドゥーリトル)、フランク・スチュアー

ト・フリントらによるイマジズムの詩を高く評価したハワードを、シリル・コノリーは後に驚くべき先見性の持ち主と評価している（Lancaster 56）。『1930年代のイギリス文学の政治学——教育、階級、ジェンダー』（2018年）において、ナターシャ・ペリヤンは『ユリシーズ』、『荒地』と同じ年に出版された『イートン・キャンドル』は、モダニストの美学に沿ったものであったと三つの著作の共通性を指摘している（185）。

ハワード、アクトンはともに、イートン校時代にはとくにイーディス・シットウェルにその詩才を高く評価されたが、その後文学の道で成功したとはいいがたい。オクスフォード大学に進学すると、二人は同年代の富裕で派手好き、無目的な男女とパーティー三昧の日々を過ごす、いわゆる「ブライト・ヤング・ピープル」の中心的な人物になっていった。つまり彼らは、たとえばイーヴリン・ウォーの『卑しい肉体』（1930年）や『ブライズヘッド再訪』（1945年）に登場するような享楽的な上流階級の若者たちの典型であり、文学にも社会にも真摯に向き合った、いわゆるモダニズムの作家たちとは階級の上でも気質の上でも異なる地平に生きた人々と思われてきた。

しかし、モダニズムの作家たちと彼らの間の分断は、本当に私たちが思ってきたほどに深いのだろうか。ここで、ウルフの『ダロウェイ夫人』（1925年）の冒頭近くの一節を見てみよう。

> 今は6月の半ば。戦争は終わったのだ。昨晩大使館にいらしたフォックスクロフト夫人のような方にとっては終わっていないだろうが。立派だったあの息子さんが亡くなって、昔から住んでいた古い邸宅を従兄弟の手に渡さなくてはならなくなったことに心を痛めていらっしゃった。お気に入りの息子さんだったジョンの戦死を知らせる電報を手にバザーを開いておられたレイディ・ベックスバラのような方にとっても戦争は終わっていないだろう。でも、終わったのだ。ありがたいことに、終わったのだ。6月だ。国王も王妃も宮殿にいらっしゃる。そしてまだこんなに朝早いというのに、ここかしこから聞こえてくる。鞭をあてられて疾走するポニーの蹄の音が、

> クリケットのバットが鳴る音が。ローズ［ローズクリケット競技場］、アスコット［アスコット競馬場］、ラニラー［ラニラーポロ競技場］、そして他のどこであれ、今は灰色がかった青色の朝の空気のやわらかな網の目に包まれている。日が昇るにつれこれらの網の目はほどけ、芝地とピッチには前脚で地面を蹴って跳ね上がるポニーたちが、走り回る青年たちが、透け生地のモスリン織の服を着て声を立てて笑っている少女たちが、現れるだろう。この若者たちは一晩踊りあかした後だというのに今度は毛むくじゃらの犬を走らせに出てきている［後略］。（Woolf 4-5; 下線強調は執筆者による）

この一節を見ただけで、クラリッサが大使館に出入りして貴族とも付き合いがあるような階級に属する人物であることが察せられる。実際この一節のすぐ後にはクラリッサの祖先が王室に仕えていたこと、昔ながらの友人が王室関連の仕事についていることなども書かれており、彼女と彼女をめぐる人々の世界が、上流階級のそれとひじょうに近いところにあることが想像できる。実際彼女はこの小説の舞台である6月のある一日の間に、何度も王室に思いを巡らせている[1]。そして、下線強調を施した陽気な若者たちは、本稿で中心的に扱っていくことになるブライト・ヤング・ピープルと思われる。モダニズム作家ウルフが生きた世界と王室やブライト・ヤング・ピープルのそれは決してかけ離れてはいない。むしろ隣り合い、重なり合っていたのだ。

マーク・フィッシャーの言葉を借りるなら、20世紀初頭は一般的にいって「いわゆるエリート主義への信仰、またはその一方的かつトップダウン的な文化モデル」（25）が支配的な時代とされてきた。しかし、主として中産階級から成るモダニズムの旗手たちの活動から少し目を転じてみると、来たるべき大衆化時代に自ら飛び込むことで、つまり大衆、そして大衆メディアと手を組むことで、生き延びる道を模索しようとしていた上流階級、そしてその最たる存在としての王室がいたことに気づかされる。上流階級の人々が生きた戦間期を再考することは、ことによると、前後の時代から断絶した特別な時代として扱われることも多かったモダニズムの時代を、歴史の流れのなかに位置づける道筋を開くことにもつながるのかもしれない。

本稿ではまず、第2節においてブライト・ヤング・ピープルとよばれた一群の上流階級の若者たちが何者であるかについて整理する。枠組みとして用いるのは、今から半世紀近くも前に出版されたものであるとはいえ、ブライト・ヤング・ピープルを同時代の文学史の中に位置づけようと試みたほぼ唯一の先行研究書であるマーティン・グリーンの『太陽の子供たち――1918年以降のイングランドの「デカダンス」のナラティヴ』(1976年)である。第3節、第4節では、彼ら自身と、そして自分たちの文化を象徴する存在として彼らが追いかけたエドワード8世について、大衆メディアとのかかわりという観点から考察する。民主化、大衆化の時代である20世紀は、王室や上流階級にとってはもちろんのこと、知的エリート階級にとっても挑戦の時代であった。大衆と距離をおくのではなく、流行し始めた大衆メディアの力を借りて広い認知度と人気（ポピュラリティ）という強大な力を手に入れた上流階級の戦間期をみることは、モダニズム研究の新たな地平を開くことにもつながりうるだろう。第5節では、大衆の人気を広くつかんだにもかかわらず、国民に寄り沿う新時代の王室の実現ができなかったエドワード8世とブライト・ヤング・ピープルとの接点を論じる。最後の第6節では、後の文学批評において同時代のほぼ唯一の芸術とされてきたモダニズムを、ブライト・ヤング・ピープル、そして王室との関係において再検討することの意義を示唆して結論を導きたい。

2．ブライト・ヤング・ピープルとは誰か

第一次世界大戦がイギリスの上流階級に及ぼした影響は計り知れない。デイヴィッド・キャナダインの『英国貴族の衰亡』(1990年)によれば、1914年8月4日に参戦してからわずか5ヵ月足らずの同年末までに、貴族6名と貴族の子弟95名、準男爵16名と準男爵の子弟82名の命が失われ(74)[2]、犠牲者の数はその後も増え続けた。最終的に、イートン校だけをとっても第一次世界大戦に参戦した5600人の卒業生のうち1150人が命を

落としたという（Green 42）。第一次世界大戦は名だたる上流階級の家庭の若い一世代を完全に消失させてしまったという「失われた世代」神話には多少の誇張があるとしつつ、キャナダインは他の階級に比した上流階級の喪失の大きさについて次のように述べている。

> 第一次世界大戦に従軍したイギリスとアイルランドの貴族およびその息子たちのうち、5人に1人が命を落とした。しかし戦闘員全体の戦死者は8人に1人の割合であった。その理由は明白だ。従軍した貴族は職業軍人か、あるいはいち早く志願した者たちであった。彼らのほとんどは中佐以下の下級将校で、すぐに前線に配属された。そこで彼らは塹壕生活のリスクと危険を分かち合い、そして部下たちを率いて戦場に出ていった。戦争が始まって1年間のうちにこうした将校の7人に1人が死亡したのに対して、兵卒は17人に1人の死亡にすぎなかった。（*Decline* 83）

上流階級の喪失はたしかに多かったといえよう。貴族階級が払ったこのような人的犠牲は、より深い尊敬やより強固な立場を得るというかたちで戦後世界においてきっと報われるだろうという期待を持つ者も戦争中にはいたようだ（Cannadine *Decline* 84）。しかし現実は厳しかった。

君塚直隆によれば、第一次世界大戦はすでに弱体化が進んでいた貴族政治（アリストクラシー）の終焉と、それに代わる大衆民主政治（マスデモクラシー）の本格的始動を決定的にした（36-37）。イギリス史上初めて徴兵制が導入され、残された女性たちも勤労動員というかたちで参戦する総力戦となった第一次世界大戦は、「国を守るという『国民の責務（ナショナル・オブリージュ）』を果たした人々にも選挙権を与える契機」（君塚 36）となり、このことが貴族階級の影響力の衰退を加速させる一つの大きな要因になったのだ。キャナダインが言うように、「貴族やジェントリーが多大な犠牲を払って貢献をした戦争が、『民主主義の台頭のために世界を安全な場所にする』ことに捧げられた」（*Decline* 85）のは、上流階級の人々にとっては何とも皮肉な結果であったといえよう。多大な犠牲を払った戦争が終わり、戦地から帰国した上流階級の若者たちを待っていたのは、彼らのような特権階級を必要としない、民主化された新たな社会だったのである。彼らが「教育を中断され、理想や大義を失い、目的を失ったまま刹那的に毎日を生き」(新井 195) るようになったのも無理はない。そして、この失意の「兄たち」を見ながら成長した世代、つまり第一次世界大戦に参戦するにはほんの少し若すぎた世代の中から、ブライト・ヤング・ピープルは生まれるのである。[3]

1) ブライト・ヤング・ピープルとは

ブライト・ヤング・ピープルとは、簡単に言えば、夜に昼に街中で派手に遊んだり大掛かりな悪ふざけをしたりと大騒ぎをしてゴシップ誌をにぎわせた1920年代の上流階級中心の若者の一群のことだ。D. J. テイラーは著書『ブライト・ヤング・ピープル——ロンドンのジャズ・エイジにおける失われた世代』(2007年) のなかで、[4] ひたすらに無目的で騒々しく、享楽的な時間の過ごし方をするのが彼らの特徴であると述べている (7-8)。ブライト・ヤング・ピープルには男性だけでなく女性もたくさんいたが、グループの中核をなしたのは1900年から1910年までに生まれ、イートンからオクスフォードに進んだ若者たちであった (あるいは、歴史から女性が排除されがちな当時の状況にあってはそう思われてきた、といった方が正しいのかもしれない)。さまざまなテーマで仮装をして派手で贅沢なパーティーを楽しむことを好んだ彼らが1928年夏のある夜に催したプール・アンド・ボトル・パーティーを例にとったテイラーの説明は、彼らの全体像をよく伝えている。[5] このパーティーを主催したのは外務大臣など政府要職を務め、後に男爵となる政治家、アーサー・ポンソンビーの娘エリザベスで、招かれた仲間たちのなかには第3代クランブルック伯爵の息子エドワード・ゲイソン＝ハーディや、スコットランド貴族、初代グレンコナー男爵の息子スティーヴン・テナント、画商として大いに成功したアメリカ人の父を持ち、ベッドルームが16もある広大なカントリーハウスで休暇を過ごすような裕福な家庭に育ったブライアン・ハワードや、炭鉱業で財を成した父親のもとに育ち、ブルームズベリー・グループの一員でもあった美術評論家のクライヴ・ベルなどがいた。つまり、きらびやかな水着を何着も着替えながらカクテルと音楽に囲まれて夜通しプールで乱痴気騒ぎを繰り広げたこのパーティーの参加者は、そのほとんどが、当時のイギリスの政界、財界等で力のある父親を持つ裕福な上流階級の子供たちだったのである。朝になると彼らは通勤中の人々が唖然として見つめるなか、身体の線の露わな服装で自宅に戻るためのタクシーやバスを探した。最後の数人をその場から追い払うにはとうとう警官まで出動しなければならなかったという（Taylor 3-6）。こうして酔っ払ったまま帰宅の途についても、数時間後にはもう次の乱痴気パーティーへと向かっていくというのがブライト・ヤング・ピープルの日常だった。彼らのこうした放埒な暮らしぶりはもちろん両親にとっては考えられない恥さらしなものであり、彼らの多くが父親との強い対立関係にあった。こうした若者たちについて、テイラーは次のように説明している。

> 若く――27歳のエリザベス・ポンソンビーが年齢で言うと一番上だった――いかがわしく、定職もない彼らにはみな説明しがたい魅力があり、人脈もあった。こんなふうなので、彼らは過去3年間にわたって新聞の社交欄の常連であった。［中略］彼らは気ままで騒々しい、快楽主義の20代の男女を体現する存在で、彼らの行動を記事にした新聞では「若者たちの一群（ヤンガー・セット）」と呼ばれることもあったが、より一般的には、今日歴史に刻まれている彼らの呼称である「ブライト・ヤング・ピープル」という名で呼ばれることが多かった。(4)

「ブライト・ヤング・ピープル」（あるいは「ブライト・ヤング・シングス」）という呼称は、1920年代に複数のタブロイド紙が使用して定着させたものだ[6]。テイラーによれば、慣習にしばられた生真面目で退屈な戦前の空気から解き放たれようとする1920年代の気運に「ブライト」という形容詞はよく合った（22）。そのため当時の新聞や雑誌にこの形容詞がよく使われたのである。

2）マーティン・グリーンの『太陽の子供たち』における ブライト・ヤング・ピープル

目的もなく乱痴気騒ぎを繰り返す「気ままで騒々しい快楽主義者」となれば当然のことかもしれないが、ブライト・ヤング・ピープルはこれまであまり批評家の関心を集めてはこなかった。彼らを論じた体系だった批評書は実際、既に挙げたD. J. テイラーより以前にはマーティン・グリーンの『太陽の子供たち』（1976年）くらいしかないと言っても過言ではないだろう。グリーンの研究はブライト・ヤング・ピープルの全体像を学術的にとらえるというよりは個々の人物たち、とくにハワード、アクトン、そしてイートン校、オクスフォードに同じ頃に在籍した男性たちに関する伝記的記述にやや偏ったものになっている。さらにいえば、文化はいつも父世代対息子世代という二項対立で説明されるものだという彼のそもそものスタンスは、20世紀末のカルチュラル・スタディーズ、あるいは多様性を認める批評風土が台頭した後では少々古臭く、無理もある。テイラーはその点を補うように、グリーンが扱った人物よりも広範な人種、階級の人々を扱い、より包括的な時代の流れの中にブライト・ヤング・ピープルを位置づけているといえよう。ただし、テイラーの研究書はタイトルからも明らかなようにブライト・ヤング・ピープルを中心とする同時代の文化批評の色合いが濃く、同時代の文学の潮流とはあまり関連付けていない。そこで、グリーンの議論に1970年代という社会背景、研究背景が生んだ限界はたしかにあるが、本稿ではグリーンの議論を大きな枠組みとして使いながらブライト・ヤング・ピープルについて考察していく。まず、グリーンによるブライト・ヤング・ピープルの理解を簡単にまとめてみたい。

a. 1918 年の文化的風土 ——「真人間（ディーセント・マン）」対「ギャング」あるいは「洒落男（ダンディー）」

マーティン・グリーンはロンドンで店を営む両親のもとで1927年に生まれ、奨学金と1944年のバトラー法の恩恵を受けて1945年にケンブリッジ大学に進学した(Green 414)。つまり彼自身は富裕層から成るブライト・

ヤング・ピープルとは全く異なる環境に生まれ育っただけでなく、この時代以降長らくの間、文学および文学批評の主流派であったリーヴィス派の影響の強い教育を受けて文学、文学批評の世界に足を踏み入れたのである。

『偉大な伝統』(1948年）というリーヴィスの代表的著作のタイトルが端的に示すように、リーヴィス、オーウェル、そして彼らの仲間や弟子たちは、ヴィクトリア朝、エドワード朝の文学と社会や受け継がれてきた「イングリッシュネス」、つまり伝統の継承に価値をおいた。「想像力の歴史はどの時代であれある支配的な気質、つまり文化のテーゼとその敵対者、アンチテーゼの間に起きる衝突という観点から説明ができる、あるいは説明されるべきだ」(Green 4)、という言葉通り、グリーンは第一次世界大戦終結後のイギリスの文化風土を、伝統の継承に価値を置くリーヴィス派と、父親の世代（ヴィクトリア朝、エドワード朝）の価値観や考え方や伝統、広くは当時のイギリス社会を拒否し、時代に即した新たな「何か」を求めて反逆していた「ギャング」たちの対立の構図で説明する。ブライト・ヤング・ピープルはギャングの側に属する[7]。いつの時代にも伝統派とギャングが時代を作るというのがグリーンの立場だが、その時代その時代のギャングの中身は異なる。1918年後のイギリスにおけるギャングは、洒落者（ダンディー）（“the dandy”）たちであった。

グリーンによれば、リーヴィス派のキーワードが「イングリッシュネス」、「きちんとした（ディーセント）」であったとすれば、ブライト・ヤング・ピープルのキーワードは「国際的モダニスト」、「ダンディズム」だ (4-5)。彼らの中にはアメリカ人の親を持つカトリック教徒であったハワードやアクトンのように環境的に当時のイギリス社会の周縁にいた人物もいれば、当時のイギリス社会における経済界、政界の中枢に父親や親戚がいるという意味で環境的にはイギリス上流階級の中心にいたが、その世界に個人的にどうしてもなじむことができずに過激な思想を持つようになったミットフォード姉妹のような若者もいた。彼らの多くは父親たち、そして父親の世代が作ったイギリス社会に反発し、イギリス以外の国々が生んだ芸術（フランスのイマジズム詩やロシアのバレエ・リュスなど）に傾倒したり、イギリスとは異なる政治体制やイデオロギー（コミュニズムやファシズムなど）に共感を深めて生活や活動の場を海外に移したりと、国際的に開かれた人生を送った。30年代以降の彼らのなかには、酒やドラッグの過剰摂取、ナチズムへの行き過ぎの心酔などから厳しい人生を送ることになった者も多かったが、少なくとも20年代においては、贅をつくして快楽主義をほしいままに追及する楽しげな彼らは文字通り、「輝く若者たち」であった。大きくは同じ精神風土を持つ人々とはいえそれぞれに異なる信条を持つ彼らの気質を、グリーンは「ダンディズム」という言葉にまとめている。

b. 戦間期のダンディズム

『太陽の子供たち』からは、1918年以降の主流をなす気質を一言でいうならばダンディズムだ、というグリーンの確信が見て取れるが、そこには一定の条件があることも忘れてはならない。グリーンによれば、こと作家に焦点をあてるのであれば、この時代の多くの作家たちは洒落男（ダンディー）であったが、当時の社会全体を見渡せばダンディズムはこの時代の典型的な気質の「ひとつのタイプ、ひとつの結晶にすぎず、当時の気質の他のタイプは（ダンディズムとは）かなり異なるもの」(6) であった。様式（スタイル）にとらわれ、自己愛が強く、親世代のまじめさを嫌い、装飾や華麗さ、高圧的な態度を好む傾向があったこの時代の多くの作家たちは、まさにカーライル以来の洒落男（ダンディー）の系譜の継承者といえよう。しかしグリーンのダンディズム定義はここでは終わらない。彼はさらに、洒落男（ダンディー）を他の二つの気質のタイプ、ごろつき（ローグ）（“the *rogue*”）と純真（ナイーフ）（“the *naïf*”）と関連づけることによって、1918年以降のイギリスに特有のダンディズムの定義を試みている。

まず、伝統的なダンディズムの一番単純なかたちは、若く美しい男性が自分自身の美に対する愛を洋服やしぐさ、マナーや会話などすべてにおいて表現するというものだろう。しかしダンディズムは気質であり、それは若く美しい男性だけが持ちうる占有特許というわけではない。年齢あるいは容姿により残念ながら自分自身がダンディズムを体現できない男たちのなかには自分を愛する代わりにそれを表現できる若く美しい男性を愛し、その服装や傲慢で反抗的な態度をまねる者もいれば、愛情を身体的な美に向ける年齢を過ぎてから芸術や芸術様式の美への愛に転嫁させる者もいる。

また、若い男性の身体的な美そのものではなく、彼らがダンディズムを表現するために作られた美術品や贅沢品の熱烈な目利きになる者もいる。こうなると、成熟と責任感を必要とする現実よりも芸術におけるファンタジーと美に価値をおく耽美主義者が洒落男（ダンディー）と紙一重の存在であることも容易に理解できるだろう (7)。洒落男（ダンディー）と耽美主義者はグリーンの中で大いに関連しあい、重なり合っている。

ごろつき（ローグ）は様式（スタイル）へのこだわりや親世代のまじめさや成熟の拒絶など、洒落男（ダンディー）と似た嗜好を多分に持っているが、同性愛者が多い洒落男（ダンディー）とは異なり異性愛者が多く、粗野で軽率なところが目立つ。ごろつき（ローグ）はたいがいしっかりとした信条も行動力も持たず、親世代を内面ではあざ笑いながら彼らと同じようにふるまい、結局は親世代と同じような人生を生きる傾向があった (8, 12-13)。

ごろつき（ローグ）が自らも他者も欺くペテン師のような存在であるとすれば、純真（ナイーフ）は若さ、純粋さが際立つ若者だ。「父親たちが世界にもたらした混乱をまっすぐにみつめる赤銅色に日焼けした開襟シャツ姿の若者」(7) をイメージするとよいとグリーンは述べている。彼らの多くが30年代には共産主義に共感を深めていった。しかし彼らの特徴もまた成熟を拒むところにあり、永遠の理想探し、自分探しを続ける傾向があった。今にも共産主義運動に加わりそうにみえても結局は加わらずに終わる者が多かったのは、何かの成員（メンバー）になることが、永遠の探求人たる自分たちのアイデンティティを脅かしてしまうからだとグリーンは説明している (14)。

総合すると、洒落男（ダンディー）、ごろつき（ローグ）、純真（ナイーフ）はそれぞれに関心を異にしているが、どこに関心を向けているにせよ、まじめさ、成熟を拒絶するという点で共通している。いい方を変えれば、もともとはそれぞれが異なる関心を持っていたかもしれないが、何ものにも完成されない彼らは結局のところ全員が何ものでもない中途半端な、同じような人間になっていったのだ。こうして第一次世界大戦後のイギリスに、無気力、無目的で不真面目な若者たちという一大勢力が育ったのである。つまり洒落男（ダンディー）、ごろつき（ローグ）、純真（ナイーフ）はひじょうにあいまいな境界をもつ、重なり合ういびつな三つの輪のようなものだ。三つの輪がすべて重なり合う地点にあるのはただ一つ、父親の世代の成熟への反抗の態度である。グリーン自身、この三者は「皆いとこ（“all first cousins”）」(6) 関係にあると表現することで、その複雑な関係性を認めている。第一次世界大戦後の世界を支配した大人になりたがらない若者たちの文化がなぜ、どのように生まれたのか、そしてこの文化の歴史的意義を語ることの難しさを、グリーンは丁寧な分析的説明の試みとその不可能さを通して私たちに教えてくれる。彼らの歴史的文化的意義を探るのは、21世紀の研究者の手に委ねられている。

戦後の時代の空気を体現する洒落男（ダンディー）としてのブライト・ヤング・ピープルの存在を確認したところで、次節では、特に大衆メディアとの関係において彼らの文化的意義を考えていきたい。

3．ブライト・ヤング・ピープル、上流階級と大衆メディア

成熟を拒むことが1918年以降の若者たちの特徴的な性質であるとしたら、彼らのこうした傾向は子供時代に多くの喪失を経験したことと関係があるとは考えられないだろうか。たとえばデイヴィッド＆スティーヴン・テナント兄弟が長兄を第一次世界大戦で亡くしたように、彼らは成長過程において、身近で多くの若い命が失われていくのを経験した。グリーンいわく、イギリスにとっての第一次世界大戦は、「それまで大切にされてきた成熟の理想に対する国全体の幻滅（*public* disillusionment）を意味した」(42) のであり、若者たちはイギリスの父たちに「裏切られたと感じていた」(42) という。生き残った若者たちからみると、戦争で命を奪われた多くの若者たちは、彼らを戦地に赴かせた親世代の犠牲になった者たちなのだ。その恨みは深く、たとえば詩人のジークフリード・サ

スーンは、戦争中に発表した詩集の中で、ドイツに続きイギリスの支配者が壊滅することを願っている（43）。

このように考えると、ブライト・ヤング・ピープルは親の世代を拒否するあまり自らの成長を拒否してしまった若者たちともいえるのかもしれない。彼らの目的のない乱痴気騒ぎが不気味な幼児性を帯びているというだけではない。ブライアン・ハワードもその一人であったように、詩人や作家、芸術家を目指していた若者がたくさんいたにもかかわらず、彼らの中に文学史、あるいは美術史に名を残した者はほとんどいない。彼らの多くが最後まで作品を仕上げるという能力に欠けていたからだ。共産主義に傾倒はしたが共産党に入党するわけではなかった者も多かったことも既に述べた通りだ（Green 14）。大人になることを、つまり人間として成し遂げることを拒否する彼らであればこれは必然であり、ある意味では、彼らの書きかけの草稿こそが、そして成し遂げることのなかった政治活動こそが、ブライト・ヤング・ピープルならではの作品であり政治的信条ということになるのかもしれない。

しかし一方で、既に紹介した1928年夏のプール・アンド・ボトル・パーティーについて改めて考えてみると、歴史に名を残し損ねた無目的無成果の若者たちが興じた歴史的意義があるわけでもない一夜のパーティーについて、後世に生きる私たちがこんなにも詳細な情報を得られるのは不思議ではあるまいか。私たちがこの夜のことをよく知ることができるのは、ブライト・ヤング・ピープルの一員でもあったトム・ドライバーグが夜を徹したこの乱痴気騒ぎについて事細かに、そして面白おかしく記事にして、パーティーの翌朝に大衆紙『デイリー・エクスプレス』に掲載したからだ（Taylor 5-6, 216-17）。ブライト・ヤング・ピープルは1920年代の新聞、とくに大衆紙の常連であったが、ニュースの題材を提供するのみならず、その題材を使って記事を書くところまで時に自分たち自身で行っていたという点は興味深い[8]。まるで自分たち自身が書くことができなかったことを埋め合わせるかのように、この頃急激に発行部数を伸ばしていたタブロイド紙に、彼らは大いに書かれたのである。

本節では、ブライト・ヤング・ピープル、上流階級一般と、大衆メディアの関係を見ていく。

1）ブライト・ヤング・ピープルとメディア

「ブライト・ヤング・ピープルは彼らに先行するどの若者文化よりもメディアの創造物であった」(Taylor 209)、とテイラーが述べるように、パーティー三昧の退廃的な知的エリート階級の一群をブライト・ヤング・ピープルと名づけたのも、彼らの存在を一つの文化現象として知れ渡るようになるまでに世の中に広く認知させたのも、メディアであった。1870年教育法はイギリスに「単純な思考と啓蒙への熱意」(Griffiths 147) を持つ新たな、そして巨大な読者市場を生み出した。そして1920年代には、新しく育ってきた識字層向けの新しい新聞が興隆し始めた。デイヴィッド・キャナダインによれば

> 1880年代から1930年代にかけて、イギリスの新聞の性質は根本的に変わった。それは教育を受けた労働者階級の出現によってもたらされた新しい大衆市場の受容を満たすためでもあり、またそうした大衆市場の需要に対応しようと尽力したニューンズ［ジョージ・ニューンズ］やハームズワース［アルフレッド・ハームズワース、後のノースクリフ卿］といった人物の起業家的努力のためでもあった。結果として、古くからあるリベラルで合理的な地方新聞は、安くて俗っぽい、そして排外的な、ロンドンに拠点をおく大量部数発行の新しい新聞に次第に取って代わられるようになった。こうした新聞は1896年にアルフレッド・ハームズワースが『デイリー・メイル』を発刊したのを皮切りに、やがて『スケッチ』、『ヘラルド』、『エクスプレス』と続いた。こうした新聞ではニュースはそれまでよりもはるかにセンセーショナルに伝えられ、主要政治家の演説の全文掲載はなくなった。さまざまな仕掛けや演出、オファーを使って読者を買収する道を探ったこれらの新聞の発行部数は数百万部を数えた。これらは半文盲の民主主義の新聞であり、出来事を報ずると同時に、その出来事に影響を与えようとするものだった。(*Decline* 327)

つまり、教育を受けた労働者階級という新しい読者層が生まれたことで、新聞を売る側としてはあまり教養がなくても面白く読める、できるだけセンセーショナルなネタが必要になったのである。その際に分厚い階級のカーテンのむこうの生活、つまり貴族の生活は格好の題材として浮かび上がった。『デイリー・メイル』を所有していたノースクリフ卿はスタッフにこう指示していたという。「誰でも自分たちよりも恵まれた環境にある人について読むのは好きなものだ。……最低でも年収1000ポンド以上の人間を念頭に置いてニュースを探して書くんだ」(Taylor 17)、と。豊かな資本を後ろ盾に派手で享楽的なライフスタイルを謳歌するブライト・ヤング・ピープルは、大衆紙にとって願ってもない記事の材料であったに違いない。

ブライト・ヤング・ピープルとメディアはやがて、共依存的な関係を築いていく。メディアにとってブライト・ヤング・ピープルの行動は大衆読者層に新聞を買わせるうってつけの題材であり、そしてブライト・ヤング・ピープルにとってはメディアが自分たちの行動を取り上げてくれることが更に派手な行動へのモチベーションになった。最終的には、トム・ドライバーグが自らも参加したパーティーの内幕を記事にしたように、ブライト・ヤング・ピープルが書く側なのか書かれる側なのかすら判然としなくなる。テイラーの言葉を借りるならば、1920年代のメディアはやがて彼らに「見事に植民地化」(210) され、彼らはかなりのところ、自分たちの思うままにメディアを操作することができるようにまでなったのである。彼らの数々の遊びのなかでも有名なものの一つにロンドン中のあらゆる所に――公共交通機関、施設からパンの中まで[9]――隠されたヒントを見つけながら行われる大掛かりな宝探し（トレジャー・ハント）ゲームがあったが、ある時は『イヴニング・スタンダード』の所有者、ビーヴァーブルック卿の承諾のもとでヘッドラインの中にヒントが隠されている同紙のフェイク版を印刷してもらったことすらある (Taylor 19)。こんな要求に新聞王が応じるほどに、当時の大衆メディアにとってブライト・ヤング・ピープルは大切な話題提供者だったのだ。

2）上流階級と大衆メディア

前項ではブライト・ヤング・ピープルが、大衆メディアと深い関係を保ちながらグループとしてのアイデンティティを育ててきたことを明らかにしたが、それではこのグループには入らない上流階級の人々はどうだろうか。テイラーによれば、上流階級の人々はメディア露出に関して、そしてメディアにおける彼らの表象の在り方に関して、概してひじょうに寛容であった。写真であろうがインタビューであろうが美容製品や食品の企業広告への協力であろうが、望まれるままに応じている姿が多く見られ、「上流階級は退廃的である」といったステレオタイプにも気を悪くするどころか進んでその役割を演じる傾向があった（Taylor 47)。大いにその地位が失墜し、社会における政治的、経済的影響力が弱まってきたはずの英国上流階級の存在が、こうして大衆メディアを通して人々の意識に強く植え付けられるようになったのである。新しい新聞が生んだ新しい読者層のニーズにあわせて生活のさまざまな側面を細かく切り売りしていく上流階級とメディアの関係について、テイラーは次のようにまとめている。上流社会は

> 驚くほど一貫した方法で国民意識を支配した。今と同様に当時においても、労働者階級の読者を対象とした日曜版の新聞は、スキャンダルや浮かれ騒いだ話に話題を限定する傾向があった。一方、『メイル』や『エクスプレス』のような日刊紙は、たとえば上流階級の家のインテリアや彼らの気まぐれな服装、彼らの発言に含まれる言外の意味、といったさまざまな細目に関心を寄せていた。ロス・マッキビンが言うように、「中流階級向けの新聞の読者は、実際どんなにぞんざいに読んでいたとしても上流社会から逃れることはできなかったし、逃れることは意図されていなかった」のである。こうして中流階級以下の読者に伝えられた世界は様式化され、自己神話化されていたかもしれないが、ある意味ではこれこそが重要な点だった。様式化と神話がなかったなら、上流階級の神秘性は奪われてし

まったであろうからだ。(47)

戦争によって大きな打撃を受けて社会そのものが変化し、国内における大衆の勢いが増す中で、上流階級は自分たちが存在感を発揮する新たな場として大衆メディアを発見したのかもしれない。彼らの積極的なメディア露出は、失われつつある上流階級の上流階級らしさを、大衆との共通の場である新聞の紙面というその場限りの表層的な場に刻みつけようとした試みのようにもみえる。彼らの目論見どおり、こうした記事を読んだ大衆はもうすでに存在しなくなってきている上流階級とその暮らしに憧れ、彼らが扱われている新聞や商品を購入した。これまでは分厚いカーテンの後ろに隠れ、姿を見せずに絶対的な権力と威厳で国家を支配してきた上流階級が、大衆にその姿を過剰にさらし、大衆消費社会のサイクルに入り込むことによって、人気（ポピュラリティー）を後ろ盾とする新しい権力を手に入れたのである。

こう考えると、上流階級がとったこの方法は世紀末以来の王室がやろうとしていたことと共鳴しあってくる。デイヴィッド・キャナダインは論文「儀礼のコンテクスト、パフォーマンス、そして意味――英国君主制と『伝統の創出』、1820年－1977年」(1983年) において、それまで上流階級の人々だけを相手に行われていた地味でつまらなかった王室儀礼が、1870年代後半から1914年の間に急に国民参加型の華々しい人気イベントへと変わったと指摘している (120)。キャナダインによれば、儀礼がどんどん壮大なものになっていった時期が王室の政治への影響力の衰退期と重なったことは、イギリス独自の現象である。

> ドイツ、オーストリアやロシアといった他の国々では、儀礼の強化策が採られたのはかつてのように王室の**影響力**を高めるためであった。イギリスではそれとは対照的に、同様の儀礼が王室の**弱体化**が進んだことで可能になったのだ。[中略]
>
> [中略] 人気（ポピュラリティー）が権力にとってかわるにつれて王室に対する大衆の崇拝の念が高まったことで、強化され華々しくなった儀礼が、それ

> までには考えられなかったほどの説得力を持つようになったのである。(Cannadine, “Context” 121; 傍点は原文ではイタリクス)

ここでも、政治的権力の衰退にかわる新たな力として人気（ポピュラリティー）が挙げられていることに注目したい。そして、もし力が人気（ポピュラリティー）によって得られるのであれば、広く国民に存在感を示すことができるメディア、とりわけ大衆メディアは、強大な力を持つということになる。

3）ビーヴァーブルック卿と大衆メディア

ブライト・ヤング・ピープルとも同時代の政治家や王室とも深いかかわりをもったビーヴァーブルック卿（初代ビーヴァーブルック男爵マックス・エイトケン）は、20世紀にメディアが持つことになる巨大な権力にいち早く気づいた人物の一人だ。ビーヴァーブルック卿の伝記を執筆したアン・チズムとマイケル・デイヴィによれば、彼が「新聞が力を持つこと——あるいは、自分の前のノースクリフ［初代ノースクリフ子爵アルフレッド・ハームズワース］の例を見て、大量に出回る新聞が力を持つこと」(109) に気づくには長い時間は要さなかった。カナダに生まれ育ち、カナダ国内で証券や電力、セメント事業に成功したエイトキンが、巨額の資本を持ってイギリスに移り住んだのは1910年のことだった。同年、同郷の政治家アンドリュー・ボナー・ローの助けを得て総選挙に出馬、保守党MPになった。その後1916年に『デイリー・エクスプレス』を買収したのを皮切りに、戦時中はカナダ軍のために『カナディアン・デイリー・レコード』を、戦後は『サンデー・エクスプレス』をそれぞれ創刊、『イヴニング・スタンダード』を買収するなど新聞業界で着々と力をつけ、イギリスの大衆メディアを牛耳る存在へと成長していった[10]。その過程で自身が所有する新聞を使ってその時々の政治に積極的に関与しながら、ボナー・ローだけでなくロイド・ジョージやチャーチルなど有力政治家たちとの距離を縮め、爵位と政治的地位を得ていったビーヴァーブルックは、同時代の新聞男爵（プレス・バロン）の中でも抜きんでた影響力を発揮した。

ロイド・ジョージ内閣は第一次世界大戦中に新しく情報省（Ministry of

Information）を設置し、その大臣にビーヴァーブルック卿を任命した。[11] その職に就くと、彼は国民の士気を高揚させるために10ヵ月にわたり、当時にあってはまだ「比較的新しく、得体のしれない新しい兵器」（Chisholm and Davie 154）であったプロパガンダを発信しようと格闘した。「プロパガンダの役割は世論を形成することだ。その方法は人々に真実を伝えること、しかしそれを人々が受け入れやすいかたちで提示することである」（Chisholm and Davie 158）、というビーヴァーブルックのプロパガンダ発信に対する基本姿勢を、チズムとデイヴィは「外交官でも政治家でもなく、新聞人のアプローチ」（158）と説明している。この頃には政治よりも新聞の可能性により大きな魅力を感じるようになっていたビーヴァーブルックにとって、新聞は人間にとって「必要なもの。それなしには近代国家は自国を正しく統治することも、戦争に全精力を向けることもできないもの」（Chisholm and Davie 158）であった。人はその「肉体が食べ物を欲するように、心はニュースとそれに対する意見を欲している」（Chisholm and Davie 158）のであり、彼によれば、「適切なニュースの欠乏は戦意高揚に有害に働く病的で不健康な精神状態を招いてしまう」（Chisholm and Davie 158）というのだ。報道の力を確信するビーヴァーブルックにとって情報省の長としての最も重要な仕事は、「外国の世論を調査し、可能なすべてのチャンネル、なかでも何よりも海外のプレスを通じて、 その世論に影響を与えること」（Chisholm and Davie 158）であり、その目的は「イギリスの状況を世界に広めること」（Chisholm and Davie 158）であった。国民にとっても政治にとっても報道と広報が意思決定に欠かすことのできない重要な要素であることは今でこそ当たり前だが、この時代にビーヴァーブルックがメディアに見た大きな潜在力は、彼の鋭い先見の明を示すものだった。

メディアという武器を早くに手に入れたビーヴァーブルックがかかわったひとつのできごとに、エドワード8世の退位というイギリス王室史に残る大きな事件があった。大衆メディアの発達がなければ出会うこともなかったであろう成り上がりの新聞男爵（プレス・バロン）、ビーヴァーブルックに、エドワード8世はウォリス・シンプソン夫人とのスキャンダルが持ち上がってから退位に至るまで、さまざまな相談事をして助けられている。皇太子時代にカリスマ的な人気を誇ったエドワード8世は、大衆紙の潜在力と危険性を十分に理解していたのである。大衆紙を牛耳るビーヴァーブルックを味方に持つことは、彼にとってどうしても必要なことだったのだろう。次節では大衆化時代における王室とメディアの関係について、プリンス・オヴ・ウェールズ / エドワード8世とジョージ5世を中心に考えていきたい。

4．王室と大衆メディア

のちにエドワード8世となるプリンス・オヴ・ウェールズは、父のジョージ5世にとってこそ少年期から心配が絶えない息子だったが、容姿に恵まれ人当たりもよく、尊大な態度をとることもないところから国民には大いに愛された。それまでの王室メンバーが高い所から国民を見下ろして笑顔で手を振ったのに対して、彼はどこに行っても高い位置から降り、国民と同じ地平に立って彼らと積極的に交わり、フランクに会話をした。そんな身近で親しみやすい王子に、人々は熱狂した。ピアス・ブレンドンによれば、広いイギリス帝国のどこに行っても、

> 皇太子はヒステリックな熱狂をもって歓迎され、彼も華のある洗練された行動でその熱狂に応えた。彼の周りにはしばしば人だかりができ、花束の集中砲火が浴びせられた。ニューヨークを訪れた時には紙テープを浴びている。服もかきむしられた。皇太子の右手は大げさに手を上下させる激しい握手の連続でひどいあざができてしまい、左手を使わなくてはならなくなった。(24)

群衆が「彼の服の端っこをなんとか触ろうと、彼の身体にどうにかして指で触れて心をチャージしようと、押し合いへし合いした」(Brendon 26) というのだから、現代で言うところのアイドルさながらである。プリンス・オヴ・ウェールズがここまでの人気（ポピュラリティー）を獲得したのは、メディアの

力に負うところが多い。本節では王室とメディアの関係をみていくこととする。

1）戦間期の王室の状況

プリンス・オヴ・ウェールズの人気（ポピュラリティー）はどこから生まれたのか。まずは背景として、ヴィクトリア女王の治世の終わり頃から徐々に進んだ王室儀礼のスペクタクル化や戦争中の国王夫妻の熱心な慰問活動、1924年に始まったラジオを通じた国王の国民への折々の直接的な語り掛けなど王室側のさまざまな努力により、王室の存在が大衆のなかで飛躍的に顕在化してきていた時代にプリンス・オヴ・ウェールズが成長したということが挙げられるだろう。

1910年のエドワード7世の葬儀の際には、葬儀前に一般民衆が直接国王との別れができるよう遺体がウェストミンスター・ホールに安置され、25万人の人々が長い列を作った（Cannadine "The Context" 136）[12]。かつてこれほど多くの一般大衆が弔問に訪れたことはなかったとキャナダインは説明している。棺を海軍の馬車に乗せてロンドンの街を長い行列で練り歩くという壮麗な葬列も併せて、エドワード7世の葬儀は国民に王室の存在を強くアピールする機会になったのである。これはたとえば、1861年にウインザー城内で内々に執り行われたアルバート公の葬儀とは大きく異なっている。

第一次世界大戦においては「国民の父」の役割を果たすため、ジョージ5世自らも戦う国民たち同様軍服をまとった。メアリー妃を伴って彼が「慰問に訪れた連隊の数は四五〇、病院への負傷者の見舞いは三〇〇回、軍需工場や港湾で働く人々への激励も同じく三〇〇回、勲章や記章を自ら授与した人数は五万人を超えた」（君塚 37）。非戦闘員としてではあるがプリンス・オヴ・ウェールズは自らが西部戦線に立ち、弟のアルバート王子（後のジョージ6世）は1916年5月のユトランド沖海戦で戦っている（Cannadine *George V* 56）[13]。さらに、国民に見える部分だけでなく見えない部分においても国民の良き模範たろうと、ジョージ5世は戦争中は宮中のディナーからアルコールをなくし、暖房や照明の使用を最小限に抑え、風呂もお湯をたった5-6センチしかはらずにほぼ水風呂に入ったという（君塚 37）。ひじょうにまじめで細やかな国王だったのだ。

戦争が終わると王は熱心に国中の主だった行事に顔を出すようになった。スポーツイベントや学校、病院、炭坑、工場、スラム訪問などを通して1920年代に国王夫妻および子供たちが国民と直接交わった回数は3000回以上に上る（Cannadine *George V* 77）。良きキリスト教徒として、家族と国民の良き父として「精神的、道徳的リーダーシップ」（Cannadine *George V* 74）を最大限に発揮することが、ジョージ5世が考える、時代にふさわしい国王としての姿であったのだ。

第一次世界大戦中から大戦後のヨーロッパは、ロシア皇帝ニコライ2世の処刑（1917年）、ドイツ皇帝ヴィルヘルム2世の退位（1918年）、オーストリア皇帝カール1世の亡命（1919年）およびハンガリー国王復帰計画の2度にわたる失敗（1921年）、ギリシャ国王コンスタンティノス1世の退位（1922年）、ユーゴスラビア王アレクサンダル1世の暗殺（1929年）、スペイン国王アルフォンソ13世の亡命（1931年）と、帝国や王国の解体が次々に続いた。イギリス王室はこうした運命を横目に見ながら、「国民に寄り沿う王室」という体制を作らない限りイギリス王室の存続もないという危機感を募らせていた。キャナダインが「儀礼のコンテクスト、パフォーマンス、そして意味」のなかで丁寧にその過程を追っているように、王室の大衆化への試みはイギリス帝国の威信が揺らぎ始めた世紀末にはもう始まっていた。しかし第一次世界大戦を経て、その試みはおそらく、王室の最も重大な努力目標の一つになったのではなかろうか。王室の活動を世に広く知らしめる必要性から、新聞嫌いのジョージ5世が1918年に常勤の王室報道官を任命したのは象徴的なできごとだ。そして国民に寄り沿おうとする王室の活動は、新聞やラジオ、ニュースリールなどを通して詳しく伝えられた。

2）プリンス・オヴ・ウェールズ / エドワード8世と大衆メディア

ここまで見てきたように、ジョージ5世が王室のメディア露出を高め、その認知度を高めようと尽力したことは確かである。しかしそれは、ありのままの王室を見せて親近感を持ってほしいということではなく、美しく華やかで、見ていて誇らしい気持ちにはなるけれど近づきがたい王室儀礼同様、尊敬や畏敬の念をさらに深めるような、完璧にして偉大な国王像を広めたいというものだった。したがってジョージ5世は王室報道を歓迎したものの、その報道は大いに規制され、イメージ操作がなされていた。たとえば、本当は温かい関係にはなかった夫婦関係、家族関係も修正され、メディアを通して感じられるジョージ5世のイギリス王室は、良きキリスト教徒、良き家庭そのものだった。

プリンス・オヴ・ウェールズは、国民に近づき寄り添うことを願いつつ、伝統に固執し、自らを美しく、華々しく飾り立てた「空想的なショー」（Brendon 14）を国民に見せようとする父王の姿勢のすべてに強く反抗した。彼は「王室儀式を空虚で不快なものと感じ、それを『結構なプロパガンダ』、『曲乗り』と評して父親を激怒させた」（Brendon 17）。こうして「国民に寄り沿う王室」という同じ目的を持った父と息子であったが、二人の国民へのアプローチは全く違うものとなった。ジョージ5世が国民の良き父、良き道徳的リーダーであろうとした一方で、プリンス・オヴ・ウェールズはいわば、国民の良き友であろうとし続けたのである。

自分自身を「ちょっとした洒落男（ダンディー）」（Brendon 13）と自認していたように、プリンス・オヴ・ウェールズは第一次世界大戦以後の文化空間を支配していたダンディズムの気風にもぴったりとはまっていた。「金髪に碧い眼をした美貌ですらりとした姿は妖精物語かハリウッド・ロマンスから抜け出したかのよう」（Brendon 17）な風貌で、「男性にも女性にも魔力的な魅力を持った」（Brendon 17）プリンス・オヴ・ウェールズは、他の男性や芸術などに美への愛を投影させる必要もなく、自分自身を外見や態度のすべてから美しく飾った洒落男（ダンディー）の典型である。回顧録『ファミリー・アルバム』において、ウインザー公（退位後のエドワード8世）がこう述べたことは有名だ――「私は実際ファッションリーダーに『作り上げられた』。洋服店が私の興行主であり、世界が私の聴衆だった。そしてこのプロセスの中間業者は写真家だった」（114）。自分の美を愛してか、彼の美を愛する周囲に祭り上げられてか、彼は生涯ファッションに対する強い関心を抱き続けたのだ。オンラインの『衣服とファッションの百科事典（*Encyclopedia of Clothing and Fashion*）』において、彼は「他の誰よりも20世紀の男性の服装の変化に影響を与えた」人物として紹介されている。ピアス・ブレンドンはオクスフォード大学時代のプリンス・オヴ・ウェールズと、ジョージ5世の洋服に対するこだわりの違いを次のように書いている。

> ［スポーツからギャンブル、喫煙、酒、羽目をはずした破壊行為まで、学生が参加する多くの娯楽に嬉々として参加したにもかかわらず、］皇太子はあまりオクスフォードを楽しまなかった。彼は未だ［長年彼の個人教授を務めた］ヘンリー・ハンセルの監視下にあり、父王はいつも彼の品行に難癖をつけ、父子二人がそれぞれにひじょうに強くこだわりを持っていた洋服についてしつこく文句をつけた。服装に関しても、他の事柄と同じようにジョージ王は伝統に固執した。衣服のマナー違反について王はいかなる時も見逃さなかったし大目に見ることもなかった。王子は父とプライベートに食事をとる時でも正装に勲章までつけなければならなかった。プリンス・オヴ・ウェールズ自身はよりリラックスした服装を好んだ。彼の好みはフランネルシャツ、スポーツジャケット、派手なチェック柄、赤いタータン柄、そしてゆったりとした幅のプラス・フォー［1920年代に登場したゆるいひざ下丈の半ズボン］と、こちらも当時としては極端に走ったものだった。自分を「ちょっとした洒落男（ダンディー）」と自認する彼は、青い山高帽の流行を起こそうとしたこともあったが、これは流行には至らなかった。また、彼は裾を外側に折り返してズボンをはいたりもした。この新奇な格好に王は激怒し、皮肉屋たちは宮殿の床は濡れているか泥だらけでぬかるんでいるのかと意地の悪い質問を投げかけた。（12-13）

伝統に固執する父王と、新しい流行をまとい、注目されて流行を引き起こそうとする皇太子の対比がここにも鮮やかだ。青い山高帽に関しては失敗したようだが、プラス・フォーをインターネットで検索すると、1924年にアメリカを訪れた際に彼がこの格好をしたことでプラス・フォーがアメリカで流行したということが、複数のウェブページで紹介されている。他にも1923年にフェア・アイル柄のセーターを着た彼の肖像画が世の中にセンセーションを巻き起こしたり、彼が着たフレアスカートのように見えるほどに裾が広がったパンツ（オクスフォード・バッグ）が流行したりと（Green 153）、プリンス・オヴ・ウェールズが巻き起こしたファッション・ブームの例は枚挙にいとまがない。

その影響力は衣服にとどまるものではなく、彼がジャズをはじめとするアメリカ文化を好めば、国民も広くアメリカ文化をスタイリッシュなものとして支持した（Green 170）。また、彼はダンスホールを訪れては階級的に不釣り合いな女性にダンスを申し込むことがしばしばあったため、皇太子に声をかけてもらいたいがためにダンスホールに通う若い女性が20年代にはたくさんいた。そして実際に声をかけられた女性は誰であれ、すぐにセレブになった。1920年代イギリスのそんな状況がそのまま歌謡曲になった「プリンス・オヴ・ウェールズと踊った女の子とダンスをした男とダンスした（“I’ve Danced with a Man Who’s Danced with a Girl Who’s Danced with the Prince of Wales”）」は、当時のヒットチャートに上った（Taylor 216）。

こうして民主化、大衆化に向かう新しい空気のなかで、華やかで大胆、これまでの王室メンバーとは明らかに異なるアプローチをみせるプリンス・オヴ・ウェールズに、新しいものを求めていた大衆は熱狂した。ブライト・ヤング・ピープルが今でいうセレブの走りであるとするならば、皇太子はまちがいなく彼らにとってのセレブであり、憧れのアイドルであった。ブライト・ヤング・ピープルは「プリンス・オヴ・ウェールズのカルトというはるかに強力な魅力を前にはみんなまとめて小さく見えた。将来のエドワード8世は、1920年代のメディア空間を占有した主要なトピックのひとつであった」（Taylor 35）、とテイラーも記している。シリル・コノリーによれば、ハロルド・アクトンはプリンス・オヴ・ウェールズを憧れ慕っていた（Green 48）。なぜなら彼は、「『新しいイギリス』の、古いイギリスを変えてくれる力の、象徴だったのである」(Green 48)。

ジョージ5世が嫌った大衆紙も新聞男爵（プレス・バロン）も、プリンス・オヴ・ウェールズにとっては好きとまでは言わないまでも、強く抵抗を感じる存在ではなかった。というのも、チズムとデイヴィの言葉を借りるなら、プリンス・オヴ・ウェールズが「宮廷社会から距離をおき、昔ながらの田舎の貴族ではなくナイト・クラブに通うロンドンの人々とともに余暇を過ごすことを選んだ時、彼とビーヴァーブルックはほぼ同じ環境に移り住んだ」(333) といえるのである。また、1896年にアルフレッド・ハームズワース（後のノースクリフ卿）が『デイリー・メイル』を創刊した年がイギリスにおける大衆紙誕生の年なのであれば、1894年生まれのプリンス・オヴ・ウェールズは大衆紙とともに生まれ育ったといえる。ブライト・ヤング・ピープルを構成するのが1900年から1910年頃に生まれた世代であるとすれば、プリンス・オヴ・ウェールズはちょうど、彼らが戦争で失った若き兄たちの世代にあたる。彼らがプリンス・オヴ・ウェールズを追い求めたのは、自分とはかけ離れた高みにいる王室を崇拝する感覚からではなく、自分たちを先導してくれるはずであった今は亡き兄、つまり近くて遠い兄を追い求める気持ちからだったのかもしれない。

いずれにせよ、洒落男（ダンディー）であり、メディアを騒がせていたブライト・ヤング・ピープルをはじめとする多くの若者たちのカリスマであり、そして一般大衆が知りたいと思ってやまなかった上流階級の頂点にいたプリンス・オヴ・ウェールズを、メディアが放っておかなかったのは当然のことだ。そして、大衆紙とともに育ったプリンス・オヴ・ウェールズには、大衆紙が作り出す世界に違和感を覚えるよりは、大衆紙が生み出した新たな可能性をうまく利用できる感覚が育っていたのではないだろうか。ブライト・ヤング・ピープル同様、二者は共依存関係にあったといえる。メディアは彼をネタにすることで利益を得て、彼はメディアに取り上げられることで人気（ポピュラリティー）という力を確実にしたのである。

それならば、大衆メディアの力を借りて確かな人気（ポピュラリティー）=確かな力を獲得して王位についた彼が、大衆化時代に見合った新たな王室史を紡ぐことができなかったのはなぜなのだろう。

3）エドワード8世が目指したもの

徹頭徹尾意見が異なり、王位を継ぐことになる長男とまったく反りが合うことがないままに、ジョージ5世は1936年1月に亡くなった。二人の生きた時代は大きく言えば、帝国が弱体化の道をたどった同じ時代であり、二人はそれぞれに迫りくる大衆化、民主化をイギリス王室がどうしたら生き抜くことができるかという同じ課題に挑み続けた。それにもかかわらず、二人がとうとう相容れることがなかったのは不思議ですらある。ここで、即位後1年も経たないうちに不本意にも王位を弟に譲ることになったエドワード8世が目指していたところはどこにあったのかを整理したい。

エドワード8世は父、ジョージ5世が1936年1月20日深夜に死去したのを受けて王位を継いだが、結局戴冠式を待つこともなくその年の12月10日に退位した。既に離婚歴があり、エドワード8世と結婚するためには二度目の離婚をしなければならないアメリカ人女性のウォリス・シンプソンとの結婚が、イギリス国王の妻としてふさわしくないとされたからである[14]。イギリスには君主が健康である限り譲位の慣例がなく、この一件はあらゆる意味において極めて稀な出来事で、長らくイギリス王室史上の恥とされてきた。退位にあたっては識者、世論の両方で大きな議論があったが、王室関係者には圧倒的に結婚反対者が多かった。彼の味方につき、結婚賛成の旗振り役を務めたのは面白いことに、新聞王のビーヴァーブルック卿であった。

ビーヴァーブルックは1936年10月に、シンプソン夫人の離婚訴訟の報道をしないでほしいという依頼をエドワード8世本人から直接受けた。国王から個人的に頼られたことに気を良くしたこともあり、ノースクリフ卿の甥で新聞社主協会の会長を務めていたエドモンド・ハームズワースの協力のもと、彼らはイギリス国内およびスコットランド、アイルランド、フランスの一部新聞社に報道の自主規制を呼びかけ、紳士協定を結ぶことに成功する。アメリカはじめ海外の各新聞社が驚いたことに、イギリス国内では実際、シンプソン夫人の離婚についても国王とのスキャンダルについても退位ぎりぎりまでまったく報道がなく、その間二人についてスキャンダラスに書きたてたのはシンプソン夫人の母国アメリカを中心とする外国の大衆紙だけであった（Chisholm and Davie 333-35; 水谷 173-78）。

ビーヴァーブルックは最初に報道規制の相談を受けた時からエドワード8世が退位するに至るまで、彼の結婚を支持する立場を崩さなかった。彼がエドワード8世を擁護した理由は複数挙げられるが、その一つにエドワード8世のアメリカ趣味が挙げられると水谷三公は述べている。

> マックス［ビーヴァーブルック卿］はエドワード個人については、父王ジョージ五世にたいする嫌悪感とは対照的に、ある種の共感や親近感を抱いていた形跡がある。エドワードと父王およびその側近の宮廷官僚との間がきわめて険悪だったことは、即位以前すでに知る人ぞ知る類のはなしだった。［中略］その息子と同じように国王ジョージに嫌われたマックスにしてみれば、エドワードによる、宮中主流にたいする「反乱」はまさに歓迎すべき材料で、「敵の敵は友」だった。
> 　くわえて、父王の制約がなくなり、エドワード新国王の「アメリカ流」の「民主的・開放的」スタイルがいっそう顕著になるという事情もある。エドワードにまつわる「民主的・近代的国王」イメージには、新大陸からわたってきたマックス個人にとってのみならず、大衆紙の素材としてみても、大きな魅力があった。（190-91）

たしかにエドワード8世は、プリンス・オヴ・ウェールズ時代から大のアメリカ好きであった。水谷によれば、彼の

> 　アメリカ好みはアメリカ訛りの発音に始まり、生活の隅々にまで及んだ。イギリスにおける親しいとりまきや愛人にもアメリカ系の女性や、アメリカ的流行に寛大な人々の姿が多かった。アスター夫人［ナンシー・アスター］を先頭に、キューナード卿夫人［モード・キューナード］、ファーネス卿夫人［テルマ・ファーネス］など、皇

> 太子のとりまきには、イギリス貴族の爵位と引き替えにアメリカ富豪が輸出した大西洋貿易の代表的事例だとみなされる女性の姿が目立った。これらのとりまきと一緒に、夜遅くまでナイト・クラブで遊び回り、アメリカ渡りの水割りやカクテルを飲み、ジャズを楽しみ、アメリカ産のダンスに興じるのがエドワードの日常である。カクテルを飲む飲まないは、とくに今になってみればなんでもないことのようだが、戦前の王族やイギリス上流の保守派にとっては、どうでもよい問題ではなかった。一九三九年に訪米したジョージ六世は、ローズベルト大統領からカクテルを勧められた際、母のメアリー皇太后はカクテルを認めないと語った。アルコールがいけないのではなく、カクテルはアメリカ渡りの流行だからだという。(161-62)

ビーヴァーブルックにとって美しく、若く、そしてアメリカナイズされた新国王エドワード8世は、彼自身を時代の風土である洒落男(ダンディー)にしてくれる自己投影のパートナーでもあり、また、これから来るアメリカ中心の国際社会の中でもイギリス王室がたくましく生き延びていくことを確信させてくれる存在でもあったのかもしれない。イギリスで成功し、貴族の仲間入りまで果たしたビーヴァーブルックにとって、それは意味のあることであったはずだ。

そして、ここでは軽く触れるにとどめるが、エドワード8世が飛行機好きであったことも、ビーヴァーブルックがエドワード8世を国王にとどめたいと思った一因を成したかもしれない。ビーヴァーブルックといえば、ノースクリフ卿の影響を受けてイギリスにおける軍事目的を含めた飛行機の実用化、普及のために宣伝活動を熱心に行なったイギリス飛行機導入史における重要人物の一人でもあるのだ(水谷 191)。その功績が評価されたためなのか、ビーヴァーブルックは第二次世界大戦中には第一次チャーチル内閣発足時に設立された航空機生産省(Minister of Aircraft Production)の初代大臣に任命されている。戦時中の航空機の生産管理を任された彼は、飛行機の増産に大いに貢献したのだ。そのようなビーヴァーブルックにとって、新しいものへの不信感、とりわけアメリカから来たものへの不信感が強いジョージ5世が一度も興味をみせなかった飛行機にすぐに飛びつき、国王になった初日から飛行機での移動を開始したエドワード8世は、時代をともに切り拓く頼もしい「同志」に映ったのではなかろうか。

このように見ると、貴族階級が守って来た田舎でのイギリスの上流階級らしい生活や慣習の継承を大切にし、国王としての神秘性と威厳を守って尊敬される偉大な国民の父であろうとしたジョージ5世と、世界に開かれたロンドンで、新しい出会いや流行に敏感に反応し、国境も階級も軽々と超える身軽で親しみやすく、そしてやや軽薄な国民の友達であろうとしたエドワード8世が目指した王室は大きく異なっている。エドワード8世の感覚や嗜好は、現代の感覚からいえばひじょうに民主的で開かれた、モダンな王室であったようにも感じられる。彼は英国王室の長い歴史のなかでも特異な失敗者という扱いを受けてきたが、見方を変えれば、民主化された世界における王室はいかにあるべきかという、王室をもつ多くの国々が20世紀以降ずっと向き合って来た問題意識に、誰よりも早く目覚めた人物の一人であったのかもしれない。彼が退位を本当は望んでいなかったのであれば[15]、アメリカをモデルに王室の徹底的な民主化を推し進めた結果、国王としての居場所をなくしたことは皮肉な結末のように感じられる。

5．ピーター・パンたちの戦間期

イギリス史上エドワード8世よりも短い在位期間であった王は、中世の混乱期に13歳で即位し、3ヵ月もたたないうちに伯父のリチャード3世に退位させられた少年王エドワード5世しかいない（水谷 368）。そう考えると、40歳を超えたエドワード8世が、退位したいという積極的な意志もないままに、自滅するかのように退位するしかない道へと突き進んだことは、彼があまりに不器用に振る舞った結果のようにも思える。父王の服喪期間に公務をさぼってシンプソン夫人と会っているところを大衆紙に撮られたり、安易にナチス・ドイツに対して好意的に振る舞ったりと、彼の行動は実にうかつさが目立つのである。どうやら彼には、公人でもある自分の言動が周りに及ぼす影響力の大きさが、今一つ理解できないところがあったと思われる。

「エドワードと直接接触した人々が遅かれ早かれ気づき、ほとんど例外なく強い記憶としてあとあとまで伝える印象は、その子どもっぽさである」(383)、として水谷はエドワード8世について、興味深い解説をしている。

> エドワード自身も、問わず語りに青年への固着に言及している。たとえば、即位後初めてのラジオ出演の際に、父王の業績を称え、職務を引き継ぐ覚悟を述べたにとどまらず、国王となった今も、かつて知られてきた皇太子時代の自分と変わらないし、変化するつもりもないと、事実上の青春継続宣言を残している。これは父王のスタイルをそのまま継承する気はないということでもあるが、それまでの自由で若い時代の自分を守りたい、変化は拒否したいという意味でもあった。とりまきの一人でもあったハロルド・ニコルソンも、エドワードについて「おとぎ話のなかの子ども」のように風変わりな性格だったと、退位後の日記に書いている。イギリスのおとぎ話といえば、ピーター・パンがただちに連想される。子どものままでいたい、大人になりたくないというので有名な、あのピーター・パンのはなしである。(384)

このピーター・パンというイメージが、グリーンが言うところの成熟を拒否する洒落男（ダンディー）と同じであることは言うまでもない。興味深いことに、パトリック・バルフォアもその著書『ソサエティ・ラケット（*Society Racket*）』（1933年）において、ブライト・ヤング・ピープルをピーター・パンにたとえている[16]。そして、ピーター・パンというファンタジー・ワールドには、洒落男（ダンディー）だけでなく、ごろつき（ローグ）と純真（ナイーフ）もいる。ブライト・ヤング・ピープルとエドワード8世をこのイメージのもとにつなげてみると、第一次世界大戦で経験した多くの喪失がブライト・ヤング・ピープルの成長を妨げてしまったように、大戦後の多くの皇帝、国王たちの不幸な運命が、若かったプリンス・オヴ・ウェールズの成長を止めてしまったのかもしれないという可能性も浮かび上がってくる。大戦後に地位を追われた皇帝や国王のなかにはイギリス王室と血縁関係にあった者も数多くいた。父が大切にする伝統を守り、父と同じような国王になれば、イギリス王室は他の王室と同じように途絶えてしまうのではないか。そんな思いが彼を伝統的な王室に対する反逆者に仕立てたのかもしれない。どの角度から見ても、エドワード8世は1918年以降の文化風土の中心を構成した洒落男であったのだ。

6．おわりに
――戦間期の洒落男たちとモダニズム

以上、ブライト・ヤング・ピープルとエドワード8世の戦間期を、マーティン・グリーンが時代の支配的気質とする「ダンディズム」というキーワードを用いながら読み解いてきた。洒落男という存在が他者に見られて初めて完成することは『ドリアン・グレイの肖像』にも明らかだ。洒落男たちは洒落男であると思われて初めて洒落男になるのだから。『ドリアン・グレイの肖像』においては「見る」、「見られる」という関係性は絵画を通して完成したが、1920年代の洒落男たちにおいては大衆メディアと結託して完成した。大衆メディアは絵画よりも多くの人々に影響を与えるため、見られる洒落男たちはセレブに、アイドルに、なっていった。そうすると現代の洒落男を完成させるのはインターネットやSNSということになるだろうか。洒落男は19世紀末に死んではいなかったのだ。1920年代に大衆メディアと出会ったことで、洒落男は永遠の命を得たように感じられる。これ以降いつの時代にも、洒落男はいる。

それでは、こうして20年代に洒落男を発見したことは、モダニズムの文学史に何かしらの貢献を果たすだろうか。ここで、フランク・モルトの論文から一節を挙げよう。

> ジョージ5世とメアリー妃の人格は神話の主題になった。二人は最後の献身的なヴィクトリア朝人たちの中に数えられ、ヴィクトリア朝のマナー、道徳、人間性の最後の砦として20世紀に抗い続けた。こうしたイメージは、急速に変化する社会に直面するなかで、大衆に向けて伝統的な王室の顔を維持しようと模索した国王が、その後半生において自分自身で形成したところもあった。しかし同時に、そのイメージは、国王を典型的にミドルブラウで反知性主義的、回顧的で旧弊な、ひとつのイングリッシュネスのかたちを体現した人物として戯画化した、（彼の長男であるプリンス・オヴ・ウェールズを含む）自称新語（ネオロジスト）使用者たちが作り出したものでもあった。(116)

モルトが言うようにジョージ5世は父世代に反抗した当世風の洒落男（ダンディー）たちによって現実感のない神話の一部として片づけられ、同時代にあっては人望の厚い国王であったにもかかわらず、古臭いばかりの無力な王として忘れ去られた感がある。1910年から1936年というジョージ朝の時代は、いわゆるハイ・モダニズムの時代をすっぽりと抱え込んでいるにもかかわらず、モダニズム文学史においてジョージ5世の名前はヴィクトリア女王、エドワード7世に比較してずっと少ないように感じられる。ジョージ朝は、国王ジョージ5世と同じく、華やかで斬新なモダニズムというダンディーに隠れて忘れられた時代なのである。

しかし実は、時に重なり合い、時に並行しながら、両者はずっと共存してきたのだ。ジョージ6世も、続くエリザベス2世も、その治世を通してジョージ5世の時代までの王室が持っていた伝統と神話性と、エドワード8世が築こうと願った開かれた民主的な王室の両方を取り込むことで生き延びてきた。そして文学でいえば、1920年代に実験的な小説が多く生まれたことは確かだが、だからといってリアリズム小説がまったく書かれなかったわけではない。同時に、リアリズムのつまらない小説とされてきたジョージ朝作家たちの作品のなかに、実験的要素がまったくなかったわけでもない。モダニズムとリアリズムは実はずっと共存し続けており、今となってはその区別も難しくなってきている[17]。私たちも今一度、モダニズムの美学が、あるいは真面目（ディーセント）な美学が、この時代の最も重要な、あるいは唯一の美学であるという決めつけを捨て、王室やブライト・ヤング・ピープルとのかかわりを通して、モダニズム時代の文学を見直してもよいのかもしれない。

＊　＊　＊

2019年4月30日、日本では明治以降初の天皇の生前退位が実現した。翌5月1日に新天皇が即位され、時代は平成から令和へと移った。皇室典範には退位に関する定めがなかったため、2016年8月に現在の上皇陛下が生前退位のご意向を示されてから2019年に退位されるまでには2年半あまりの年月を要した。その間に秋篠宮家の長女の結婚をめぐる一連の騒動が始まったこともあり、2016年夏以降、日本では皇室のメディアへの露出が著しく増加した。2019年に天皇制を問い直す集会が日本各地で開催され、皇室関係の特集記事が雑誌や新聞を大いに彩ったことは、井野瀬久美惠も論文「共感の女性君主——ヴィクトリア女王が拓いた可能性」（2020年）冒頭部分で述べている。井野瀬によれば、現上皇陛下がその言葉を繰り返し用い、そして身をもって示された、「国民に寄り添う」天皇という姿が、現在における「天皇のあるべき姿」として広く国民に浸透している（5）。井野瀬は昭和、平成、令和の天皇がみな皇太子時代にイギリスを訪れ、イギリスの立憲君主制のありようをその目で見て、好意的に捉えられたことを挙げながら、「国民に寄り沿う」天皇という日本の皇室のモデルが、イギリスの君主制の在り方に強く影響を受けたものであると論じている（8-10）。

そしてまさに本稿を書きあげようとしていた2022年9月8日、70年というイギリス史上最長の在位期間を全うしてエリザベス2世が亡くなった。エドワード7世の葬儀以来イギリス王室の新たな伝統となった君主の棺の公開安置であるが、今回はエジンバラとロンドンで各1日と4日の計5日にわたり行われ、それぞれ3万3千人、75万人の人々が弔問に訪れると予想されている[18]。「国民に寄り沿う」王、「開かれた王室」という言葉が、新国王チャールズ3世の口からもそしてメディアからも、即位の瞬間から幾度となく発せられている。国民に寄り沿おうと努力したエリザベス女王の精神が、次の君主にも確実に受け継がれるようだ。日本の君主制モデルはやはりここにあったのだと実感するタイミングでこの原稿を終えることになった。

とはいえ、本稿からもわかるように、国民に寄り沿おうとしたイギリス王室の道のりは決して平たんではなく、そしてもっとも極端な形で国民と共にあろうとしたエドワード8世は、結果的にその試みに成功したとはいいがたい。個性を消して伝統と同一化し、そうすることで国民すべての真面目（ディーセント）な父親であろうとしたのがジョージ5世であったとすれば、エドワード8世は伝統を恐れず、自分の個性と感覚を信じて必要な改革はどんどん行なっていこうとする若々しくダンディーな王であろうとしたのだろう。真人間（ディーセント・マン）のジョージ5世に洒落男（ダンディー）を許容するユーモアがあり、洒落男（ダンディー）のエドワード8世に真人間（ディーセント・マン）として公務に取り組む切り替えができていたら、二人の関係は異なっていただろうか。いかにして国民に寄り沿うのかというのは王室を持つ国々であれば今日もなお、大きな課題である。[19]エリザベス女王が亡くなったばかりのイギリスにおいても、喪失感に涙を流す国民がたくさんいる一方で、君主制を問い直す議論があちらこちらで静かに沸き上がり始めてもいることを、ニュースメディアは報じている。ジョージ5世とエドワード8世という二人の正反対のアプローチに学び、どちらかではなく両方の要素を併せ持つ王室を確立していくことが、これからを生き抜くひとつの鍵となるかもしれない、君主制の継続を望む人々にとっては。

Notes

◉ 本稿は日本ヴァージニア・ウルフ協会第41回全国大会シンポジウム、「Bright Young Things の／とモダニズム」（2021年11月7日、オンライン開催）における発表原稿を大幅に改稿したものである。

［1］単語レベルでいえば、この小説には "King" / "Kings" / "King Edward"という言葉が6回、"Queen" になると19回も登場する。"Prince" / "Prince of Wales" / "Prince Consort," "Princess"（合計13回）、"Buckingham Palace"（7回）、"Windsor"（2回）なども含めると、クラリッサにとって王室がいかに身近な存在であるかが想像できる。

［2］同じ開戦の年の貴族階級の戦死者を、君塚直隆は人数ではなく割合で説明している。君塚によれば、開戦の年の地主貴族(ジェントルマン)階級とその子弟の戦死者はこの階級全体の19パーセントにあたるという（35）。

［3］具体的には、たとえばブライト・ヤング・ピープルの中心人物の一人であったブライアン・ハワードは13歳、ハロルド・アクトンは14歳で終戦を迎えている。写真家のセシル・ビートンや、ミットフォード姉妹、シットウェル兄弟、ジョン・ベッチマン、実業家のブライアン・ギネスや社交界に名を馳せていたテナント兄弟なども、だいたい同世代にあたる。

［4］本書は最初にイギリスのチャトー＆ウィンダス社から出版されたが、本論文ではアメリカ好きのプリンス・オヴ・ウェールズ / エドワード8世に着目したこともあり、2009年にアメリカのファラー・ストラウス・ジロー社から出版されその翌年にペーパーバックになったアメリカ版を使っている。

［5］このパーティーについては新井潤美も著書『ノブレス・オブリージュ――イギリスの上流階級』の第8章「新しいアッパー・クラスと『ブライト・ヤング・ピープル』」で取り上げている。新井はこの章でアガサ・クリスティやイーヴリン・ウォー、また2010年から5年間、6シリーズにわたってイギリスのITVで放映されたドラマ『ダウントン・アビー』といった作品に現れるブライト・ヤング・ピープルを分析し、ブライト・ヤング・ピープルがその後の王室メンバーを含むイギリスのセレブ文化の先駆けであることを明らかにしている。

[6]「ブライト・ヤング・ピープル」と「ブライト・ヤング・シングス」は大きくは同じ文化現象を指すが、細かく言えば前者は具体的な人物、後者はそうした人物が作り出したイメージやカルチャー全般を指すというニュアンスの違いがある。

[7] ギャングに属する人々は大きく二つのグループに分かれる。一つはシリル・コノリー、ピーター・ケネル、イーヴリン・ウォー、ジョン・ベッチマンら耽美主義者の一群であり、もう一つはW. H. オーデン、クリストファー・イシャウッド、スティーヴン・スペンダー、ジョン・レーマンら、明白に耽美主義とは異なるアプローチをとった作家たちだ。その他、ランドルフ・チャーチル、ガイ・バージェス、ブライアン・ハワード、ハロルド・アクトンのように、芸術を生業としなかった人々のなかにも、二つのグループのいずれか、あるいは両方に共感する者はいた（Green 4）。

[8] 1930年代にも、たとえばランドルフ・チャーチルは『イヴニング・スタンダード』に連載「ロンドン人の日記」を掲載している（Griffiths 268）。

[9] 小麦粉やパンの製造会社であるホービスのエンバンクメント工場に依頼してブラウン・ブレッドのなかにヒントを入れて焼いてもらったことがあるという（Taylor 19）。

[10] このあたりの事情はビーヴァーブルックの伝記のほか、グリフィス第14章にも詳しい。

[11] 水谷三公は『イギリス王室とメディア』のなかで、このときのビーヴァーブルック卿の立場を「情報省大臣」ではなく「戦争宣伝大臣」と呼んでいる（65）。

[12] イギリスにおける棺の公開安置の歴史に関してはイギリス議会のホームページに情報がある。

[13] 次期国王であるため命を危険にさらすことがゆるされなかったプリンス・オヴ・ウェールズは、戦地に赴きながら自分だけが特権的な扱いを受け、命を守られていることを恥じ、父親を恨んだことは自伝においても詳しく書いている（Windsor *A King's Story* 117）。しかし実際には、戦う兵士たちにも傷ついた兵士たちにも真摯な敬意を払うプリンス・オヴ・ウェールズの戦地での姿は多くの兵士たちの心に響き、軍の士気を大いに高めており、彼自身が思っていたよりも彼ははるかに戦争に貢献したとブレンドンは述べている（15）。

[14] そもそもヘンリー8世が離婚をしたいがためにできたのがアングリカン・チャーチであることからも、アングリカン・チャーチは離婚することを認めていなかったわけではない。しかしカトリック教会と袂を分かったアングリカン・チャーチにおいては国王が教会の最高位についており、国王の道徳性は厳しく守られるべきものとされた。エドワード8世の退位事件以前のイギリス王室では、離婚することも、離婚歴がある女性と結婚することも、考えられないことであった。エドワード8世の場合、前夫が存命中であったこともあり、シンプソン夫人との結婚が認められることは困難をきわめた(Blakemore)。

[15] エドワード8世の退位に関しては、ナチス・ドイツ、ファシスト・イタリアに好意的過ぎる国王を危険視したエスタブリシュメント（時の首相、スタンリー・ボールドウィン、『タイムズ』主筆のジョージ・ドーソン、カンタベリー大主教のコスモ・ラング）がシンプソン夫人とのスキャンダルを利用して仕組んだ陰謀であったという疑惑もある（水谷 369-70)。

[16] バルフォアによれば、ブライト・ヤング・ピープルとは、自分たちが生まれ育った土壌とは異なる土に育っていることに突然気づいたような若者たちである。新しい世界を求めるこだわりがあまりに強いため、もともとは生まれ育った土に根付いていたはずの根っこはもうそこには根付かず、だからといって今なぜかそこで成長している新しい土が何であるかを理解しているわけでもない。「彼らは中間（インターミディエート）に存在しているのだ。自分が何であるかを知らないバリのネヴァーネヴァーランドにいる生き物たちのように」(160; 傍点は原文ではイタリクス)。

[17] 2004年に出版された『ケンブリッジ版20世紀英文学史（*The Cambridge History of Twentieth-Century English Literature*)』のなかで、アン・アーディスは次のように述べている。

> 文学研究者たちは19世紀末から20世紀初頭の歴史を文学運動の端正できれいな、そして断固として目的論的な連続ととらえ、リアリズムから自然主義または耽美主義とデカダンス、そしてモダニズムへと至る「過程」を描いてきた。こうした美学的モードが同じテキストのなかに同時に存在しうるという可能性を考えることも、それらがこの時代を通じて異なる読者層に向けて書かれ、売られていたという可能性を

考えることもなく、ごく最近まで、文学におけるモダニズムの成功は「モダニズム芸術と私たちの時代を世紀末から救い出した」ことによってもたらされたと強調してきた。つまり、モダニズムが唯一のモダニティの美学であると主張する芸術家や文芸批評家たちは、他の美学的パラダイムをモダニズムの背後や下部（あるいはその両方）に追いやることで、文化的景観の最重要なものとしてモダニズムを位置づけたのだ。(61-62; 傍点は原文ではイタリクス)

リアリズムとモダニズムが時に重なり合い、時に並行しながら、ずっと共存してきたのが英国文学の歴史だとするなら、アーディスが主張するように、これまでの英文学史におけるモダニズムの高すぎる位置づけ、あるいは、モダニズムの延命は、批判されなければならない、少なくとも再度検討する必要があるだろう。

[18] この予測はしかし、見事にはずれることとなった。本稿校正時にはまだ最終集計結果は出ていないが、9月19日の国葬から一夜明けた20日に『デイリー・テレグラフ』他複数のメディアが報じたところでは、ロンドンにエリザベス女王の弔問に訪れた一般市民は4日半でおよそ25万人であった（エジンバラに弔問に訪れた人数は含まれていない）。50万人から75万人という予想をはるかに下回ったこの数は、エリザベス女王の父ジョージ6世の弔問の列に並んだ30万5806人よりも、ウィンストン・チャーチル元首相の弔問の列に並んだ32万人よりもはるかに少ない。一方で、たとえば9月22日に『ラジオタイムス』が報じるところでは、女王の葬儀はITVやSkyを含むイギリスの50のチャンネルで放映され、イギリス全土で3750万人が視聴したという。これはイギリスの総人口の半分にあたり、イギリステレビ放送史上3000万人が視聴したダイアナ妃の葬儀を抜いて最大の数である。そして女王の葬儀を視聴したのはイギリスの人々だけではない。世界のおよそ40億人が視聴したと考えられている。エリザベス女王の弔問に訪れた一般市民の予測数との大きなずれの原因をどう考えるべきか、今後の一つの課題としたい。

[19] 井野瀬久美惠は21世紀の皇室が参照している天皇像のモデルをイギリスの君主制、とりわけヴィクトリア女王にみている。天皇制という制度自体の「私人化」・「非男性化」とジェンダーとの関係性についての批判的再考

を行なうことにより「象徴」としての天皇のジェンダーの意味を問い直すことを提起した井野瀬が問題にしたのは、「国民に寄り沿う」天皇という姿が天皇のあるべき姿として広く国民に浸透している (5)、という第二次世界大戦敗戦以来の日本の状況である。

Works Cited

Ardis, Ann L. "The Gender of Modernism." *The Cambridge History of Twentieth-Century English Literature*, edited by Laura Marcus and Peter Nicholls, Cambridge UP, 2004, pp. 61-79.

Balfour, Patrick. *Society Racket: A Critical Survey of Modern Social Life*. John Long, 1933.

Blakemore, Erin. "Why the Royal Family Used to Forbid Marriage After Divorce: The Royal Family's Distaste for Divorce Goes Back to Henry VIII." *History*, originally published on 3rd May 2018, updated on 8 March 2021, www.history.com/news/royal-family-divorce-remarry-meghan-markle-wallis-simpson. Accessed 16 Sep. 2022.

Brendon, Piers. *Edward VIII: The Uncrowned King*. Allen Lane, 2016.

Cannadine, David. "The Context, Performance and Meaning of Ritual: The British Monarchy and the 'Invention of Tradition', c. 1820-1977." *The Invention of Tradition*, edited by Eric Hobsbawm and Terence Ranger, Cambridge UP, 1983, pp. 101-64.

---. *The Decline and Fall of the British Aristocracy*. 1990. Vintage Books, 1999.

---. *George V: The Unexpected King*. Allen Lane, 2014.

Chisholm, Anne, and Michael Davie. *Lord Beaverbrook: A Life*. Alfred A. Knopf, 1992.

Green, Martin. *Children of the Sun: A Narrative of "Decadence" in England after 1918*. Basic Books, 1976.

Griffiths, Dennis. *Plant Here* The Standard. Macmillan, 1996.

Lancaster, Marie-Jaqueline. *Brian Howard: Portrait of a Failure*. Anthony Blond, 1968.

Mort, Frank. "Safe for Democracy: Constitutional Politics, Popular Spectacle, and the British Monarchy 1910-1914." *Journal of British Studies*, vol. 58, no. 1, January 2019, pp. 109-41. *Cambridge Core*, https://doi.org/10.1017/jbr.2018.176.

Periyan, Natasha. *The Politics of 1930s British Literature: Education, Class, Gender*. 2018. Bloomsbury Academic, 2020.

Taylor, D. J. *Bright Young People: The Lost Generation of London's Jazz Age*. 2007. Farrar, Straus and Giroux, 2010.

Windsor, E. *A Family Album*. Cassell, 1960.

---. *A King's Story: The Memoirs of HRH the Duke of Windsor KG*. 1951. Prion Books, 1998.

Woolf, Virginia. *Mrs. Dalloway*. 1925. Penguin Books, 1992.

新井潤美『ノブレス・オブリージュ――イギリスの上流階級』白水社、2022年。

井野瀬久美恵「共感の女性君主――ヴィクトリア女王が拓いた可能性」『ジェンダー史学』第16号、2020年、5-19頁。*J-Stage*, https://doi.org/10.11365/genderhistory. 16.5.

君塚直隆「女王陛下とイギリス王室」水島治郎・君塚直隆編著『現代世界の陛下たち――デモクラシーと王室・皇室』ミネルヴァ書房、2018年、27-61頁。

フィッシャー、マーク『資本主義リアリズム』セバスチャン・ブロイ、河南瑠莉訳、堀之内出版、2018年。

水谷三公『イギリス王室とメディア――エドワード大衆王とその時代』文藝春秋、2015年。

第2章

ディアギレフ的でリーヴィス的
——シットウェル三姉弟のモダニズム

井川ちとせ

But we are poets,
And shall tell the truth.
Osbert Sitwell, "Rhapsode" (1917)

1. シットウェリズム再訪

バルセロナのピカソ美術館に展示された一葉の写真を思い浮かべることから始めよう。ベネチアで撮影されたその写真にピカソと収まっているのは、ディアギレフ、コクトー、ストラヴィンスキー。それ以外は思い出せないが、ともかくロシア人、フランス人、スペイン人はいても、イングランド人はいない。否、いるとしたらせいぜいサシャヴェレル・シットウェルかバーナーズ卿といったところか——。これが、モダニズムに対する根深い先入観の見直しをマーティン・グリーンに迫り、大著『太陽の子供たち——1918年以降のイングランドの『デカダンス』のナラティヴ』(1976) を書かせた写真である。その一群にイングランド人が「いたとしても、自分の側のイングランド人〔*my* Englishmen〕ではなかったはずだ」と、グリーンは振り返る (Green 459)[1]。

本章は、英文学の学的制度化の過程で「詩ではなく宣伝の歴史」(Leavis 73) に分類され、ときにブルームズベリーの非主流派のように語られる (Palmer viii) シットウェル三姉弟の再評価を試みる。この試みはしかし、不当にも周縁化された三姉弟をモダニストに格上げし、またそうすることで異質なものを包摂する複数形のモダニズムの豊かさを言祝いで、モダニズムという制度の延命を目論むものではない。

19世紀末以降の「小英国」の思想に共鳴しつつF. R. リーヴィスが創造した英文学の「偉大なる伝統」は（高田 54）、自らが対立させた二項の境界――国境のみならず、公／私、正規／非正規教育、ハイ／ミドルブラウなどなどの境界――を「厳格〔rigorous〕」[2]に管理する企図であったと言えるが、その管理をよそにさまざまな項が相互浸潤する様相を、リーヴィスに師事したグリーンは、「ディアギレフ的でもありリーヴィス的でもある」（457）と表現した。「イングランド文化の二つの側面」（Green 441; 強調は筆者）という二項対立を手放さないことはグリーンの限界のように思われるものの、「真面目さ」を「プロレタリア的価値観を持ち散文的な生活を送る人びとの領分」とし、「軽薄さ」を扱うことを戒めるような20世紀後半の批評風土にあって（Taylor 8-9）、1918年以降のイングランド文化のディアギレフ的側面に強い光を当てたことは、やはり大きな功績である。「ディアギレフ的」ダンディズムを代表するイングランド人とグリーンが見なし、ブライト・ヤング・ピープル（以下BYPと略す）の一員にもBYPの庇護者にも見えるようなイーディス（1887-1964）、オズバート（1892-1969）、サシーことサシャヴェレル（1897-1988）のシットウェル三姉弟に注目することで、本章では、単線的な世代論および保守対リベラル、前衛対商業主義の二元論に代わる記述の可能性を探りたい。[3]

三姉弟の創作と生活には、闘争の相手をときには名声のために替え続ける衝動性と、義侠心、物見遊山に日を暮しているようで想を得んと倦むことのない勤勉さ、上中流階級の無教養を批判しながら世襲貴族の特権を享受する臆面の無さと、大衆紙に達意の文を（締切り厳守で）寄せる生真面目さ、などなど一見相矛盾する態度が同居する。ハイ・モダニズムの、あるいはBYPの1920年代は、三人が家族としてもっとも親密で、互いに作品を捧げ、互いの才能を喧伝すると同時に、他の作家や芸術家を世に出すべく協働した時代であった。三人の去就を追うことで、「イングランドのアイデンティティ」の輪郭が、カントリーハウスとオクスフォード、イートン校、ロンドンのメイフェアとチェルシーに規定されるだけでなく、大陸ヨーロッパと北米との往来によって繰り返し描き直されるさまも浮き彫りになるだろう。

とは言え、グリーンの労作に相応しい応答をするには紙幅が足りず、また、もとより分かち難く絡み合い多岐にわたる三姉弟の活動は、毀誉褒貶も甚だしく、大戦間期に限ってみても容易に解きほぐせるものではない。三人を語る上で、(五人目のビートルならぬ) 四人目、五人目のシットウェルとも呼ぶべきイーディスの元ガヴァネスで音楽家/翻訳家/詩人のヘレン・ルーサム (1875-1938) と作曲家ウィリアム・ウォルトン (1902-83) の存在も不可欠だ。本章では、イーディスとヘレンのベイズウォーターの粗末なフラットと、オズバート、サシー、ウォルトンのチェルシーの小さいが「ブライトな」家 (Bennett, *Journal* vol. 2 286) での一種のサロン (それぞれ1914-32頃と、1918-25)、詩集『ホィールズ』(1916-21)、イーディスとヘレンの英仏詩協会 (1919-21)、弟たちによる『アート&レターズ』の編集 (1918-20) やマンサード・ギャラリーでのフランス現代美術展 (1919)、ディアギレフとの交流と協働、1922年に三姉弟とウォルトンが共作し、翌年アイオリアン・ホールで初公演をおこなった『ファサード』など、ごく一部を概観するに留めなくてはならない。また、芸術家であることと被写体であることが切り離せない三姉弟を捉えた多数の写真のうち、取り上げられるのは、ほんの幾葉かである。

そもそも、ある事象の記述は、起点をどこに定め、そこから通時的あるいは共時的に、どの方向に、どこまでネットワークを辿っていくかにかかっている。グリーンは1900年代生まれのハロルド・アクトンとブライアン・ハワードを自身の「ナラティヴの結節点」(11) に置き、彼らに代表される「ひとつの知的な気質を持った男たち」すなわち「太陽の子供たち」を「焦点、レンズとして用い」、第一次世界大戦後の社会において彼らがいかに「『イングランド』の新しいアイデンティティ、『イングランド人であること』の新しい意味」を確立したかを論じた (9)。精神史を覇権的気質とそれに抗する気質の弁証法的運動と捉えるグリーンのナラティヴは (10)、必然的に二項対立を軸に展開する。いわく、ジョージ5世が、政治・外見・家族生活・芸術すべてにおいて「旧いイングランド」を体現し、アクトンやハワードら若い世代の笑い草だったのに対し、父親に反抗し続ける皇太子は、「新しいイングランド」の象徴である。そして、皇太子がエドワード8世として継承した王位を放棄する際、それを支持した陣営（ロイド・ジョージ、チャーチル、ビーヴァーブルック、ロザミア、モズレー、そしてファシストたち）は「国王の友人」、反対したボールドウィンやカンタベリー大主教は「国王の敵」で「父親的存在〔the father figures〕」である（56-58）。この新旧イングランドのナラティヴを補強する格好の例として、グリーンは、オズバートの自叙伝『左手、右手！』（1941-51）に言及するのだが、ことはそれほど単純ではない。オズバートは、第一次世界大戦中に近衛旅団の同僚士官として出会った皇太子を、終生嫌っていたし（Pearson, Foreword 12）、王権放棄をけしかけた取り巻きたちを実名で批判した詩を書いて、そのコピーが社交界で回し読まれるに任せている（Ziegler 235-37）。むろんグリーンの執筆当時には、開示されていなかった一次資料や存命中の関係者への配慮が制約として働いた面もあろう。それでも『太陽の子供たち』がいまも読むに値するのは、父－息子の葛藤をテンプレートとする演繹的記述が、説明原理そのものの妥当性を行為遂行的に強化しようという企図を裏切って、大戦間期の精神史の、静的な図式化にそぐわない両義性を、逆説的に炙り出すからである。「シットウェリズム」（Leavis 73）に焦点を合わせ、大戦間期の精神史の見直しの第一歩とすることが、本章の狙いである。

2. 真人間とダンディ

冒頭で見たグリーンの「自分の側」とは、「イングランド文化のふたつの側面」である「真人間〔a decent man〕とダンディ」のうちの、真人間の側である（441）。グリーンが、イーヴリン・ウォーやシリル・コノリーに代表されるダンディズムや耽美主義に背を向け、D. H. ロレンスやジョージ・オーウェルに傾倒することで「市井のイングランド人」という自己アイデンティティを確立するのは、ケンブリッジ大学で「英文学を専攻し、リーヴィスの言うことにだけ耳を傾けた」1945年から48年にかけてのことだった（443-44）。1944年に成立したばかりのバトラー教育再編法の恩恵を受けてグラマースクールから進学した奨学生を、絢爛たる舞台のごときケンブリッジの美しく華やかであれという強迫から解放してくれたのが、リーヴィスの厳めしさであった（441）。けれども、真人間とダンディの境界がさほど確たるものではなかったことに、やがてグリーンは気づかされる。1960年代に入って、キングズリー・エイミスやフィリップ・ラーキンら、グリーンが「反ダンディ勢力、庶民の知識人」と目していた作家たちが、ダンディへと転向し始めたのだ（445-47）。と同時に、自身のなかに、ウォーのユーモア感覚を楽しむようなダンディの側面がつねにあったことを認めるようになる。この批評家としてのアイデンティティの危機を、ダンディズムを断固拒絶するのでも、真面目さを抛擲するのでもなく、陽気な〔good-humoured〕、攻撃的でない真面目さで、言い換えれば「ディアギレフ的でもありリーヴィス的でもある」（457）ような態度で対象に向き合うことで、克服せんとしたのが『太陽の子供たち』だということになる。

こうして自身の両義性を進んで（あるいは終章で意を決して）告白するグリーンはしかし、批評対象には、真人間でもありダンディでもあることを認めたがらないように見える。たとえば、ディアギレフが、アルレッキーノやコロンビーナといったコメディア・デラルテの道化役を主題化し、成熟と責任を重んじる西欧世界に反旗を翻したとして（40）、『道化師』（1921年5月、パリ、ゲテ・リリック劇場）について特筆するいっぽうで、同じ年の11月、ロンドンのアルハンブラ劇場で上演された『眠れる森の美女』[4]には言及しない。前者がロシア民謡を題材にストラヴィンスキーが初めて振付けたオリジナル作品であるのに対し、後者は言わずと知れたチャイコフスキーの古典であり、マリウス・プティパの原振付けを復元したものである。ディアギレフには、1909年にパリでバレエ・リュスをデビューさせた当時から、ロシア・バレエを刷新するだけでなくその伝統を守ろうという強い使命感があったし、第一次世界大戦そしてロシア革命のあと、帰国もままならず西側をさまよっていたバレエ団を存続させるために、興行的に安全な作品を選ぶだけの責任感を有していたのである（シュヴァロフ 146-47）。バレエ・リュスが、前衛性と大衆性とを併せ持っていた点で同時代の未来派、ダダ、バウハウスの実験劇場とは決定的に異なることも（一條 9）、グリーンは言挙げしない。しかし1976年当時の批評風土にあって、イングランドのディアギレフ的側面に強い光を当てたことは、テクストの徴候というよりもグリーンの意図的な選択であったのだろう。

その意図は、いわゆるオーデン・グループと太陽の子供たちの交わりを論じたことにも垣間見える。『太陽の子供たち』刊行の2年前にサミュエル・ハインズが『オーデンの世代——1930年代イングランドの文学と政治』で指摘したように、従来の批評が、ともに「1900年から第一次世界大戦の間にイングランドに生まれ、1920年代に成人し、大恐慌を生き抜いた世代」（9）であるアクトンらを耽美主義者もしくはBYP、オーデンを1930年代の政治活動家というふうに、二つの陣営に振り分ける傾向にあったこと（27）、そして、そう指摘しておいてハインズが二度とアクトンとハワードに触れないことを思い合わせると、グリーンのアプローチがいかに特異であったか、分明になる。とは言えグリーンが、たとえば、ハワードと懇意だったクリストファー・イシャウッドに注目するのは、あくまで自説を補強する材料として、である。いわく、イシャウッドの「祖先への憎悪」は、「明らかに太陽の子供たちの衝動のうちのひとつが悲劇的なまでに極端に走ったもの」、すなわち、父－息子関係のパラダイムを「拡張するもの」（308）なのである。

グリーンによる「ダンディズム」の定義の詳細は、大道千穂の第1章に譲るとして、もっとも端的には若者〔a young man〕の「父母の『成熟した』価値観に公然と反抗するようなスタイル」（12）である。したがって抗う対象は母親でもあり、さらに脚註では、女もダンディたり得ると付言し、ナンシー・ミットフォード、ヴァージニア・ウルフ、イーディス・シットウェル、若き日のナンシー・キュナードを例に挙げている（19）。にもかかわらずグリーンは、セクションの表題「父親たちと息子たち」が示唆するように、父親から疎んじられることを「この時代の父－息子関係の悲劇的パラダイム」（74）と診断して、世代間の敵対関係に収斂させようとするいっぽうで、そのパラダイムに収まらないケースは、あっさりと「おじ」

という第三項を立てて処理してしまう。たとえば、奇妙なことに——否、親族関係の語彙の指示対象の乱交的な曖昧さ（Butler）を思えばむしろ必然的にと言うべきか——ダンディの敵たる「旧世代の典型的な作家たち」（72）すなわち「父親」のひとりとして登場したアーノルド・ベネットは、その後は「おじ」と位置づけ直される（グリーンは触れていないが、オズバートとサシーは文壇の重鎮を実際に「アーノルドおじさん」と呼んで慕っていた[5]）。オズバートはダンディであると同時に、ひと回り年下のアクトンやハワードの「おじ」としても描かれる（161, 417-18）。ダンディを庇護した社交界のホステスたちは、「おじ」のカテゴリーに整理されて「おば」という語を与えられない（これも触れられないが、「マギーおばさん」ことグレヴィル夫人は、オズバートをモンテ・カルロの静養に伴ったり、ヨーク公爵夫人に引き合わせるだけでなく（Ziegler 105）、多額の遺産[6]を贈ってもいる）。法曹にして保守党の急進派F. E. スミスにいたっては、BYPのレディ・エレナー・スミスの実父としてよりも、ハワードとランドルフ・チャーチルという「二人の主要な太陽の子供たち」の「おじ」として扱われている（65）。

3．衝動と大義

では、結局のところ、BYPをひとまとまりの集団に見せているのは、政治または社会についての見解でも経済的な地位でもなく、その衝動性であろうか（Taylor 31）。D. J. テイラーが2007年の単著『ブライト・ヤング・ピープル——ある世代の興亡、1918–1940年』において、BYPを「衝動の共同体」と呼んだのは、BYPの一員パトリック・バルフォア（1904-76）の言葉に依拠してのことであるが、そもそもシットウェル姉弟はBYPなのか。イートン校、オクスフォード大学、ウェストエンドの排他的でホモソーシャルな世界とエディプス的葛藤を前景化するグリーンに対し、BYP現象を、レディ・エレナー・スミス、エリザベス・ポンソンビー、ジータとベイビーのユングマン姉妹、そしてエリザベスの従姉妹ローリアから成る若い女性のグループから説き起こし、群像劇として見事に活写するテイラーは、シットウェル姉弟については、特段の説明なく上の二人をBYPの庇護者、末っ子をBYPと、振り分けているように見える。

姉兄と違ってメディアへの露出を嫌ったサシーをBYPに見せているのは、十も年上の姉よりもアクトンらと年が近いことだけでなく、サシーの八つ年下で、アクトンらよりさらに若い妻ジョージアの存在かもしれない。すでにセレブリティとなっていたシットウェル姉弟に憧れていただけの、芸術家でも芸術家志望でもない、カナダ人銀行家の次女が、六人目のシットウェルに成り果せた（と同時に三姉弟の関係に楔を打ち込むことになった）経緯は、BYPの棲息地がいかなるものかを示唆して興味深い。すなわち1924年、ジョージアは、おそらく同郷の誼で招かれていたビーヴァーブルック卿の屋敷で、主の腹心の友アーノルド・ベネットと出会い、後日ベネット邸のダンスパーティーでオズバートを紹介され、オズバートがサシー、ウォルトンと同居するチェルシーの家のティーに招かれて1年半後には、パリの教会で花嫁になるのである（Bradford 130-42, 155; Ziegler 94-95）。若く美しい夫婦は、「BYP伝説の最重要人物」たるユングマン姉妹（Taylor 6）の母ビアトリス・ギネスの邸宅で、社交を楽しんだ。ジョージアと同じように当初はサシーを遠くから崇拝していたBYPのセシル・ビートンですら、1926年11月の日記で、「おろかな社交馬鹿」のジョージアが、「彼女や――彼のお馬鹿な兄――なんかよりはるかに格上の」サシーを社交の世界に引きずり込んで「破滅させようとしている」と嘆いている（qtd. in Bradford 168）。

そのビートンが、1927年6月にスティーヴン・テナントの母親の邸宅に、すでに一児の親となっていたサシーとジョージア、レックス・ホイッスラー、ジータ、ベイビー、ロザモンド・リーマン、エドワード・サックヴィル＝ウェスト、ババ・ブルーム、エリナー・ワイリーらとともに招かれ、おおいに楽しんだことは（Pearson, *Façades* 262）、自身も被写体となってシャッターを切ったところを見ても明らかだ【図１】。BYPならぬ「インテリジェント・ヤング・パーソンズ」のタイトルで『ヴォーグ』11月号に掲載された写真は、彼/女らの衝動性を雄弁に演出している。『ダスティ・アンサー』で華々しくデビューした作家リーマンをはじめとす

【図1】ジョージアのアルバムから。キャプションはジョージアによる（Bradford et al., *The Sitwells*, 212）。

る時代の寵児が、豹柄のガウンを羽織り、身を寄せ合って床に横たわる姿が発散するのは、多型倒錯的な無邪気さのようでも、乱交的/近親姦的頽廃のようでもある[7]。ただしこの写真からは、厳格なカトリック教徒のジータが、詩人として尊敬するサシーに真面目な話題を持ちかけていたことも、サシーがそれをはぐらかしジータを性的に客体化していたことも（Bradford 169)、窺い知るすべはない。イーディスが、画家のパーヴェル・チェリーチェフへの報われない想いを抱き続けながら、ヘレン・ルーサムとその姉や、母方の祖母の代から仕える料理人の闘病を支え、オズバートが40年にわたりディヴィド・ホーナーと所帯を持っていたのに対し、サシーが、三姉弟のうち唯一法的な配偶者を得て二男をもうけたという事実をもって、姉兄よりも責任ある大人に成長したと断ずるわけにはいくまい。ジョージアは、1928年にはオズワルド・モズレーのグループと交遊を始め、モズレーと性的関係を持つにいたる。サシーは、モズレーの仲間を、芸術に無関心の俗物と蔑み、ジョージアの行状に眉を顰めた。社会主義者でありながら父親の爵位を継ぐだけでなく、相続したダイヤモンドを妻のティアラに仕立て直すモズレーの無節操さに、さすがのジョージアもいずれ不信感を抱くようになるのではあるが（Bradford 183-93)。

テイラーによれば、オズバートが「最初のBYP」と目した1898年生まれのビヴァリー・ニコルズは、「第一次世界大戦に出征したのちジャーナリズムか文学に携わるようになり、1920年代のBYPムーブメントの最初のスポンサーとなった20代後半の男性たちのひとり」であるが（23-25)、このプロファイルはオズバート自身にもほぼ当てはまる。ほぼ、と言うのは、厳密には、オズバートが第一次世界大戦中すでに『タイムズ』や『スペクテーター』、『ネイション』に反戦詩を発表しているからだ。オズバートが『タイムズ』でデビューを飾ることができたのは、イーディスを1913年に詩人として世に出した大衆紙『デイリー・ミラー』の文芸欄編集者リチャード・ジェニングズの口添えによるが（Greene 99)、従軍将校の反戦詩が主流メディアに掲載されること自体は珍しくなかった。と言うよりむしろ、上の三紙/誌のほか、『ブックマン』、『コーンヒル』、『サタデー・ポスト』、『ウェストミンスター・ガゼット』は、前線の各師団で起こった「詩のハリケーン」を銃後に伝える媒体となり、参戦当初から20年代初めにかけて戦争詩のアンソロジーも続々と編まれた（荒木 23-24)。ただ、アンソロジーにはもっぱら「田園牧歌をうたうイギリスの伝統的な抒情詩の系譜に属」す作品が収められ、シーグフリード・サスーンもウィルフレッド・オウエンもほとんど取り上げられなかったことを考えると（荒木 12)、と言うか、オウエンの詩を「初めて本の形」すなわち『ホィールズ』第四集にまとめたのがイーディスであったこと[8]を考えると、シットウェル姉弟の『ホィールズ』が当時の詩壇に占めていた位置がいかに特異であったかが窺えよう。

1916年12月に刊行された第一集（正確にはホィールすなわち車輪にちなんで第一サイクル）は、イーディスとナンシー・キュナードが、オズバートの近衛歩兵第一部隊の親友で、その年の9月にソンムに斃れた共通の友人（でスティーヴンの兄)、ビンボーことエドワード・ウィンダム・テナントを追悼すべく構想したものである。それは同時に1912年と15年に最初の二集が刊行されていたエドワード・マーシュ（1872-1953）編の詩集『ジョージアン・ポエトリ』に対する「モダニストの反撃」でもあった（Bradford et al. 60)[9]。ビンボー、ナンシー、三姉弟の作品のほか、ヘレン・ルーサムがビンボーに手向けた挽歌と、同じくヘレンによるランボーの英訳、ナンシーの友人アイリス・トゥリーの詩が収められた。だが、その前衛性を過度に強調することは避けねばならない。オズバートの詩は、あとで見るような、兵士の肉体/塊の生々しく強烈な写実とは異なり、むしろジョージアンを想起させるものであったし、詩集が脚光を浴びたのは、当時大衆紙のゴシップ欄を賑わせ三姉弟よりも有名だったナンシーが、表題作を含む7編を寄せたためでもあった。[10]

ハイブラウとミドルブラウ〔higher-brows〕の間に詩のブームを巻き起こしたのは、ルパート・ブルックの1915年の死であったと、第二次世界大戦の最中、ロバート・グレイヴスとアラン・ホッジは苦々しげに振り返っている (43)。いわく、1912年の創刊から『ジョージアン・ポエトリ』に参加し、(実戦に就く前に敗血症で) 命を落としたブルックは、兵士が詩人でもあるという「新しく魅惑的かつ驚異的な存在」の先駆けであり、その余光で、サスーン、W. J. ターナー、ロバート・ニコルズら新しい戦争詩人だけでなく、何らかの理由で出征しなかった詩人たち (「『エディ・マーシュのポンコツ仲間』」) も加わった第三集 (1917) がベストセラーになった (43)。従軍将校詩人として第三集以降、最後の第五集まで参加したグレイヴスの、自嘲である。ブームは去るのが必定。第四集が第一集と同じ1万5千部を売ったのに対し、1922年刊行の第五集は8千と、急激に部数を減らすことになった (Morrisson 418)。

かたや『ホィールズ』第六集 (1921) が最後になった理由をイーディスは、J. C. スクワイア (1884-1958) の圧力で、どの出版社も扱ってくれなくなったためだと説明している (Greene 158)。17年の『ジョージアン・ポエトリ』第三集から詩人として参加し、編集を引き継いだスクワイアは、『ニュー・ステイツマン』の文芸欄初代編集長で、1919年に『ロンドン・マーキュリー』を創刊、34年まで編集に携わると同時に『オブザーヴァー』にも執筆していた人物である。1920年にはすでにロンドンの文芸出版界で幅を利かせ、T. S. エリオットに言わせれば、「詩のことは何もわかっていない」が「ロンドンで一番器用なジャーナリスト」であった (Crawford 345-46)。ただしイーディスは『ミラー』でのデビューについて、「他のどの新聞も出版社もわたしの作品と関わりを持とうとしなかった時代に」

【図2】『ホィールズ』第四集口絵

掲載してくれたとも述懐しているから（Pearson, *Façades* 725）、1922年に突然、逆運に見舞われたわけではない。サシーは、姉の作品は『ミラー』には「もったいない」と思っていたけれども（Greene 98）、デビューから3年弱のあいだ、『ミラー』がイーディスの唯一の発表の場であった。

だがイーディスは、1921年秋、『ホィールズ』のどの版元[11]よりも権威あるジェラルド・ダックワースと契約を結ぶ。オウエンに捧げた第四集（1919）では、オウエンの詩7編を発表し、すでに編者としても地歩を固めていた。とくにオウエンの代表作「奇妙な出会い」（“Strange Meeting”）は、オウエンが残した手稿のなかからイーディスが見つけ、初めて公刊したものである[12]。第四集の表紙と前付に彼女が編者であることが初めて明記され、口絵の車輪には、中央の車軸に彼女の名、8本の輻に8人の寄稿者の名がそれぞれあしらわれている【図２】。つづく1920年の第五集は、あとで見るように「詩の最も優れた再生芸術家」ことマルグリット・ベネットに捧げられ、最後の第六集はブライアン・ハワードの詩を1編——ハロルド・アクトンによれば、イーディスの庇護を受けていることが大っぴらになるのを恐れたハワードの希望により、チャールズ・オレンジの筆名で（99）——掲載している。

1923年4月にダックワースから出版された『田園喜劇』(*Bucolic Comedies*)はアーノルド・ベネットに捧げられ、「彼の芸術への尊敬と、励ましを受けることなどまれだった時期に寛大にもわたしの作品を認めてくださったことへの感謝を込めて」と、過去形でではあるが不遇を託っている(qtd. in 酒井 viii)。イーディスとオズバートの証言に、記憶違いだけでなく誇張や潤色の著しいことは、評伝作者たちが一致して認めるところではあるが、スクワイアが1921年に編んだ女性詩人のアンソロジー(*A Book of Women's Verse*)にイーディスの詩を1編も取り上げなかったところを見るに、訴えはあながち被害妄想とも思えない。他方で、『ジョージアン・ポエトリ』を出版していたポエトリ・ブックショップのハロルド・マンローは、若い才能を世に出すべく1919年7月に創刊した『チャップブック』誌にサシーの作品("Church and Stage")を掲載しただけでなく、1922年9月号には、オズバートによる露骨なスクワイア批判の詩を載せている。[13]ジョージアン対シットウェリズムの単純な構図には、どうしたって無理があるし、スクワイアとイーディスは三つしか年が違わない。

ジョン・ピアソンが述べるように、イーディスが詩を「大義」としていたことに疑いの余地はない(*Façades* 78)。また、1920年代を通して貧困と不公平を主題に創作していたイーディスが、30年代に入ってオーデン世代がことさらに高い評価を得るようになったことに承伏し兼ねたのも道理である(Greene 175)。オズバートも詩作を「神聖な任務」(Ziegler 63)と思い定めていたし、サシーが酷評を苦にしてますます寡作になってゆくのも(Bradford 239-41)、BYPには欠けているとされる「真面目さ」ゆえのことであろう。

4. 人と作品

「はじめに」で高田英和が論じるとおり、「存在、振る舞いや生き方、それ自体が、ある種、作品」(11)であったアクトン、ハワード、皇太子がブライト・ヤング・ピープルであり、その存在や振る舞いを記録して大衆に売ったのがブライト・ヤング・シングスであったとすれば、シットウェル三姉弟は間違いなく前者である。アクトンらと違って姉弟は、韻文や散文のみならず脚本や、『ファサード』のような詩と音楽を融合させたパフォーミングアーツを含む膨大な作品を残してはいるけれども、それらを伝記的生成批評の対象とするだけでなく、社交界や文壇の「パーティーというパーティーに出かけ、いたるところで目撃される」(qtd. in Ziegler 59) こと自体を、作品として解釈せねばならない。むろん、母親が詐欺に連座した廉で実刑を喰らうという恥辱が、三姉弟の結束を強め、醜聞を相殺して余りあるほどの名声を追い求めさせたことに、疑いを容れる余地はない。けれども、おそらくは『ファサード』の公演を念頭にヴァージニア・ウルフが日記に漏らした (現代の読者には政治的に正しくない表現ばかりが目につくが、あくまでイーディスを愛しんでの) 感慨は、時代が求めたスペクタクルとしてのシットウェリズムを、よく言い当てていよう。

> 別の時代であれば、彼女は隠遁生活を送る修道女か、エキセントリックで人と交わらない田舎のいかず後家だっただろう。彼女をミュージックホールの舞台に立たせるとは、我々の時代は奇妙だ。彼女は貴族のオールドミス特有のおどおどした、しかし高慢な様子でライムライトのなかに歩み出る。(*Diary* 133)。

日付は1927年3月21日。『ファサード』は、1922年1月22日、オズバートのカーライル・スクエアの自宅に友人を招いて上演され、2月7日には、その初演に感銘を受けたバレエ・リュスのパトロンのひとりイヴァ・マサイアスの私邸で再演された。ウルフが足を運んだことを確認できるのは、1923年6月12日のアイオリアン・ホールの初公演のみであるが、フランク・ドブソンのデザインによるカーテンの後ろに立って詩を朗読し、終演後「一部の観客の態度があまりに物騒であったため、わたしが出てくるのを待ちくたびれて帰るまで、舞台の上でカーテンに隠れているよう警告された」(*Taken* 132) というイーディスの述懐を額面通りに受け取るならば、「ライムライト」はウルフの比喩であろうか。仮に、初公演の

【図3】フランク・ドブソンのデザイン画（Bradford et al., *The Sitwells*, 92）

もうひとりの観客であったノエル・カワードが、わずか3ヵ月後に『ロンドン・コーリング！』でシットウェル姉弟を「スイスのホイットルボット一家」として登場させ物議を醸したこと（Hammill）を示唆しているのだとしたら、ライムライトのなかに歩み出たのではなく、引きずり出されたというのが正確なところであろう。他方でジョン・ピアソンは、物騒な観客のエピソードを、作品がいかに因習破壊的であったかを強調するためにイーディスが晩年にでっち上げたものと見ており（*Façades* 183-84)、だとすれば、イーディスがカーテンコールに応えることもあったのかもしれない。

カーテン中央に描かれた仮面の、口の部分に空いた穴から（考案者のオペラ歌手の名を採ってセンガホンと呼ばれる）巨大なメガホンを通して朗読する趣向は、伴奏者を含む演者と、演じられる作品とを切り離し、「抽象的なメソッドで詩を観客に提示する」（qtd. in Greene 155-56）ことを目的とし、その目的を進行役のオズバートが、カーテン上手の小さな仮面の口を通して観客に伝えたとされるが【図3】、プログラムには「オズバート・シットウェルがミス・イーディス・シットウェルを『ファサード』で紹介」（qtd. in Greene 167）と明記されており、パフォーマーとパフォーマンスを切り離すことは、とうてい不可能であった。1926年4月27日のチェニル・ギャラリーズでの公演についてベネットが述べているとおり、これは他ならぬ「シットウェルのコンサート」なのである。

シットウェルのコンサート『ファサード』に車で出かけた。大勢の観客には、スノッブも、ハイブラウも、ロウブラウも、批評家も芸術家も真人間〔decent folk〕もいた。詩は際立って素晴らしく、音楽（ウォルトン）も等しく素晴らしかった。

フランク・ドブソンの「背景」（平面）も見事だった。(*Journal* vol. 3 140)

観客のなかにはBYPのアラナ・ハーパーに伴われたセシル・ビートンもいた。すでにケンブリッジ時代の友人ジョージ・ライランズ（1902-99）の肖像写真でイギリス版『ヴォーグ』1924年4月号にデビューしていたが、会場に編集長のドロシー・トッド、オーガスタス・ジョン、ハロルド・アクトン、ユングマン姉妹の姿を認めて興奮する駆出しの写真家は、スノッブに分類されようか。ウォルトンの楽曲は、リチャード・グリーンが述べるように、イーディスの詩の韻律とアイロニーに細心の注意を払いつつ、ミュージックホールやキャバレーの楽曲、ジャズ、フォックストロット、チャールストンといった大衆音楽のパロディとパスティーシュであり（Greene 155)、ブラウを問わず幅広い客層を楽しませ得るものであったし、詩の実験的な技巧は、イーディスによれば、真摯な芸術的探究であって悪ふざけなどではなく、かと言ってお行儀よく鑑賞する高尚な舞台芸術というよりは「時折あからさまでない悲哀はあっても、大部分は陽気な作品」で「観客を笑わせるつもり」であった（*Taken* 134)。フェイ・ハミルが論じるとおり、三姉弟とカワードの作品は、それぞれ難解なモダニズムと大衆娯楽として異質であるどころか、とりわけ文学様式、影響の範囲、パロディの戦略において相通ずるものがあった（Hammill)。

1932年にはリーヴィスに「詩ではなく宣伝の歴史に属す」と一蹴されることになる「シットウェリズム」(73) を正当に評価するためには、20世紀初頭のイングランドにおいて、公／私の領域がいかに浸透し合っていたかを見ればよい。1925年にケンブリッジに職を得、英文学を学術研究として制度化すべく奮闘していたリーヴィスにとって、劇場／私邸でのパフォーマンス、正規／非正規の教育、ハイ／ミドルブラウ、政争／内輪揉めの境界を曖昧にする一種のアマチュアリズムやディレッタンティズムこそ一掃すべき悪弊であったろう。それは第三次選挙法改正以前の（ウエストミンスターではなく）カントリーハウスで繰り広げられた貴族政治の名残りであると同時に、新しい有権者をターゲットとするマスメディアの勃興を背景とするものでもあった。ビートンの『ヴォーグ』におけるデビュー作が、やがて彼のシグネチャーとなる「ソフトフォーカス」の技巧を駆使したと言うよりは、当人が「ピンぼけ」(qtd. in Muir) と認めるスナップであったこと、さらに撮影場所が、当時は無名の学部生だったライランズが学生演劇でマルフィ公爵夫人を演じた劇場の、男性用手洗いのすぐ外だったこと（Reed 57; Muir）は、きわめて象徴的である。

グリーンがピカソ美術館で観た写真に、写っていたかもしれない二人のイングランド人を、思い出そう。グリーンがたぐり寄せた記憶の糸の端にはおそらく、サシーが台本を書き、バーナーズ卿の曲をウォルトンが編曲・指揮した『ネプチューンの勝利』があったのだろう。1926年12月3日、バレエ・リュス初の「イギリス製バレエ」（芳賀 172）のライシウム劇場での公演が成功を収めたのは、ロンドンを舞台とし、クリスマスのパントマイムの伝統を踏襲したからだ——それが証拠に、翌年6月のパリ公演は失敗に終わる（Bradford 169）。ロンドンの、熱烈なカーテンコールに応えるサシーの「とてもはにかんで貴族的な顔つき、青白く長身で、長く細い手」と、「花と蝶とリボンが鮮やかな色で全体に刺繍されたロイヤルブルーのシルク」を纏ったイーディス（qtd. in Bradford 162）に魅せられたビートンは、数週間後に、ドロシー・トッドに三姉弟と引き合わせてもらうことになる。三姉弟は、ビートンの被写体になることで、いっそう脚光を浴び、被写体の威光はビートンを一躍時代の寵児にする。後述のとおり、1919年8月のフランス現代美術展では大御所の後ろ盾を必要としたオズバートは、1927年11月には、ビートンの初めての個展のカタログに序文を寄せて箔をつけてやる側になっていた。

素人芸と前衛、商業主義とハイアート、伝統と刷新は必ずしも相互排他的ではなかったし、さらに、アクトンが「ブルームズベリーはモンパルナスの拡張部分に過ぎなかった」(149) と表現するように、イングランドの文芸思潮は、大陸ヨーロッパへの旅が生涯に一度きりの経験ではなくなった世紀転換期以降の (Cannadine, *Decline* 372)、物理的な越境の産物でもある。イングランドの四つのカウンティに地所を持つシットウェル家は、おもに秋と冬をスカーバラで、晩夏の数ヵ月をダービシャーで過ごし、たびたびヨーロッパを旅した。兄弟のフランス現代美術展はまさに、アマチュアの越境の産物であったと言えるが、次節では時間を少し遡って、シットウェリズムという芸術/生き方について考察したい。

5. 越境、相互浸潤、アマチュアリズム

オズバートは1912年、父親の意向で精鋭の騎兵部隊に入隊するも、数ヵ月でフィレンツェ滞在中の父親の下へ逃れ、近衛歩兵第一部隊への転属を計らってもらう。サー・ジョージが息子の訴えに耳を貸したのは、妻レディ・アイダが放蕩の末、息子の同僚を金策に巻き込んでいることを知り、スキャンダルに発展するのを回避しようとしてのことだったようだ (Pearson, *Façades* 75-76)。この転属はオズバートにとってはまたとない僥倖であったと言える。イートンではパッとしなかったオズバートを、バッキンガム宮殿の目と鼻の先に駐屯する華やかな部隊が、ダンディに仕立てたのである。士官には駐屯地内ですら制服の着用義務がなかったため、オズバートはペルメルで仕立てたシルクのシャツにサヴィル・ロウで誂えたスーツを着て、パリ出来のタイを誰にも真似できない形に結び、(『ブライズヘッド再訪』に主人公たち御用達の理髪店として登場する) トランパーに毎朝通った (Zeigler 40)。少尉にすら年3ヵ月の休暇を与える部隊は、ピアソンによれば「上流階級の上品なアクティヴィティという、18世紀特有の軍務の概念の名残を留めた」、「有閑階級の子息の最も特権的で排他的なロンドンのクラブ」であり、オズバートにとっての「大学」であった (*Façades* 86)。同時に入会を許された紳士クラブ、マールバラ・クラブも、会員の多くは隊の同僚であった (Ziegler 43)。

美丈夫の士官は、社交界でもてはやされ、第二次世界大戦の勃発とともにサロン文化が消滅するまでホステスたちの庇護を受けた。1914年の春、ナンシー・キュナードの母エメラルドの晩餐会で、初対面のダイアナ・マナーズ（のちのレディ・ダイアナ・クーパー）に、ストラヴィンスキーは好きかと訊ねたというエピソードは、当時の雰囲気をよく伝えるものだろう（Ziegler 41）。グレイヴズとホッジが「メイフェアは一種の非正規の大学で、ホステスたちがカレッジの校長で、つねに変わり続けるシラバスは完成することがなかった」（114）と述べるとおり、エメラルドを含む半ダースほどのホステスたちの影響は絶大であった（Taylor 105-06）。部隊やクラブでストラヴィンスキーを知っていたのはオズバートくらいであったが、変わり者を許容する懐の深さこそが、クラブのクラブたる所以であろう。騎兵隊でなら軍法会議にかけられるような問題発言も、排他性が強化する同類意識ゆえに宥恕された（Pearson, *Façades* 86-87）。入隊を機に劇場に足繁く通うようになったオズバートに「この先、生きている限り、芸術の側にいる」（qtd. in Ziegler 42）と確信させたのが、ストラヴィンスキーが曲を書いたバレエ・リュスの『火の鳥』であった。

「彼女は自分で詩を書いていないときは、わたしに読んでくれて、わたしにも書くように促してくれたものですから、詩は自然と生活の一部のようになっていました。あの頃のイーディスなら誰でも詩人にしたでしょう」（qtd. in Pearson, *Façades* 60）、とサシーは幼少期を振り返っているが、1910年代に入ると、姉がもっぱら弟たちを誘掖するというより、姉弟それぞれのネットワークが交差し、ムーヴメントのもとが胚胎する。イートンのサシーは、バレエ・リュスに魅せられ、マリネッティと文通し、フローベールを学友や兄に勧める早熟ぶりだったし、すでに見たように、イーディスにナンシー・キュナードを紹介したのは、オズバートであった。オウエンのような詩人の卵だけでなく、エドマンド・ゴス（1849-1928）やベネットら文壇の大立者との交流も、（グリーンの「おじ」のカテゴリーにもっともしっくりくると思われる人物のひとりでありながら、なぜかグリーンが取り上げない）ロビー・ロス（1869-1918）が、オズバートに引き合わせたことに端を発する。

1915年3月には、レディ・アイダが告訴され、オズバートはフランス前線から呼び戻される。法廷で長男の借金の返済を動機に挙げた母親よりも、刑事事件に発展することを未然に防げなかった父親をオズバートは恨み、その憎悪を創作の糧としたと言っても過言ではない。「オズバートの大部の自伝は父親の像と、父親の変人ぶりを出しに捻り出したユーモアに、ほぼ支配されている」というグリーンの指摘（Green 72）は正しい。「大部の伝記」とは、プルーストの影響の色濃い全5巻の『左手、右手！』のことである。けれどもサシーに言わせれば、父親は「〔オズバートが〕描いてみせた滑稽な人物とはほど遠かったですよ。彼はオズバートよりもずっと良いひとだったと、わたしは思いますよ」（qtd. in Ziegler 3）。実際、サー・ジョージは妻が告発されるまでに1,750ポンドもの借金を返済し、敏腕弁護士を雇って救済を試みている（Ziegler 49）。あとで見るとおり、オズバートの父への激しい敵意をグリーンのように「ツァイトガイスト」だけで説明するのは無理があり、父子の険悪な応酬の引き金となったのは、ほとんどつねに金銭問題であった（Ziegler 97）。狩猟とゴシップにかまける着道楽の母方の親戚を「黄金軍団〔Golden Horde〕」と呼んで姉弟とともに忌み嫌ったオズバートは当時、年700ポンドもの小遣いで足が出るほど衣食や嗜好品に散財して父に尻拭いさせており、母の貴族的放蕩の癖——「お父様はご自分で気がつかないうちに100万ポンド使ったものですよ」（qtd. in Bradford 33）——を受け継いで恬然としていた。

そしてアイダに3ヵ月の実刑が下り、新聞に「オールド・ベイリーに伯爵の妹」（『デイリー・ミラー』）、「社交界の横顔、共謀罪で告発、準男爵の妻に有罪判決」（『ニューズ・オブ・ザ・ワールド』）といった見出しが踊る。イートンの寮監はサシーに「戦争が続いていてよかったよ。お兄さんは国王陛下と国のために戦えるからね。そうでなければ誰も二度とお兄さんと口を聞かないだろうよ」と声をかけたという（Greene 96-97）。オズバートは、イートン時代からスポーツや狩猟を嫌い、他の生徒と親しく交わることもなく、開戦当初から大戦に大義を見出してもいなかったが、それだけに功に逸って部隊を危険に晒すようなこともなく、勇敢に粛々と塹壕戦を戦った（Ziegler 56）。そして1916年春、休暇で帰国する直前に塹壕内で指を負傷、完治後も戦闘に復帰することはなかった。母親のスキャンダルから一年、オズバートは逼塞するどころか、のちにパートナーとなるデイヴィド・ホーナーに語ったように、「僕たちはパーティーというパーティーに出かけ、いたるところで目撃され、有名になって、誰がどう思おうと気にしないってことを見せつけるんだ」と覚悟を決める（qtd. in Ziegler 59）。

オズバートが命を落とさずに済んだのは、あるいは、前線で目の当たりにし繰り返し詠まずにいられなかったような「不具になり、年老いた、悲しい若者たち、／顔は焼けて引き裂かれ」（"The Blind Pedlar" 19）、「のたうつ男たち／脚はなく／足はなく／腕はなく／顔はなく....〔省略はママ〕」（"Corpse-Day" 32）、「勇敢な若人ら／進んで火傷を負ったり、／盲いたり、／片輪になったり、／どんな生き物にも似ても似つかない姿になったり、／吹き飛ばされて血を流す肉片になったり」（"The Next War" 34）することがなかったのは、奇跡的な巡り合わせと言うほかない[14]。さらに1917年12月12日、赤十字への寄付を集めるためにロビー・ロスとベルギーの政治家の妻ララ・ヴァンデルベルトが企画し、コールファクス夫人が私邸を提供した詩の朗読の夕べで、150人の聴衆の前に、姉弟とともに初めてトリオとして立ったことは、決定的な転機となった。このときサシーは、イートンを卒業し近衛歩兵第一部隊の予備兵としてチェルシーの駐屯地に所属していた（兵役を免れられるよう、家族が医師に軍務不適格の診断書を書かせるなど手を尽くした末の入隊である（Bradford 78）。その後、ロンドンの南西、オールダショットの訓練基地に移り、1918年9月、5年ぶりにバレエ・リュスがロンドンに戻ると、オールダショットから劇場に通い、終幕後のサパーパーティーでディアギレフと交流するようになる（Bradford 85-86）。そうして出征することのないまま、終戦を迎える）。司会を務めるゴスは、11月20日、エドワード・マーシュにつぎのように書き送っている。

わたしは自分が何に掛り合うことになったのかわからないが、ともかく「ジョージアン」を代表して信頼のおける幾人か——ニコルズ、

> グレイヴズ、サスーン——が出る。だが主役はイーディスとオズバート・シットウェルだ。二人のことも、わたしは何も知らないが、平和主義者でないことをアポロに祈るよ[15]。意気軒昂たる二人の御夫人がた〔コールファクス夫人とヴァンデルベルト夫人〕には、アルフレッド・ダグラスやエズラ・パウンドの名前が出てきたら、司会を降りるだけでは済まない、〔コールファクス夫人の〕家から出ていく、と告げたところ、自分たちが招く詩人は申し分なく真面〔respectable〕だと請け合った。(qtd. in Greene 124)

結局、「ジョージアン」代表のグレイヴズとサスーンは姿を見せず(サスーンの詩はアイリス・R・マクラウドに代読され)、『ホィールズ』に第二集(1917)から参加したオルダス・ハクスリーや、パウンドの盟友エリオットが登壇した。ロイズ銀行の退勤後に駆けつけて遅刻し、ゴスに叱責されながら「カバ」を披露したエリオットを、ベネットは、登壇者のなかで最高で、「もしわたしが〔コールファクス夫人の〕家だったとしたら、これは家を吹き飛ばしてしまったことだろう」(*Journal* vol. 2 239)と賛嘆している。堂々としていたのはエリオットと自分だけで、シットウェル三姉弟は緊張していたというハクスリーと(Greene 125)、「シットウェル家の人びとはたいへん目立っていて、とても洗練されていた〔*tres cultivée*〕」(*Journal* vol. 2 239)というベネットは、どちらも真実を語っているように思われる。三姉弟の長身と貴族的な佇まいはいずれ行く先々で目を引くことになるが、この夜、気後れする弟たちの背中を押し、のちに『イングランドのエキセントリクス』(1933)を物して「すべての芸術家と貴族は、大衆〔the crowd〕を少しも恐れないからこそエキセントリックなのだ」(*Taken* 145)と嘯いたイーディスは、ウルフが述べたとおり、「おどおど」と「高慢」であったのだろう。

イーディスは、1913年2月にすでに、母親の金銭トラブルの累が及ばぬよう、シャペロン役のヘレンとロンドンに暮らし始め、1914年5月には、ベイズウォーターの、労働者が暮らす界隈——アクトンに言わせれば「スラム」(Bradford 76)——にフラットを借りて移り住み、イーディスは毎週土曜に作家や詩人を、ヘレンは水曜に音楽家を招いた。敬愛する画家ウォルター・シッカートが、スタジオに自身と仲間の作品を展示して客を招くのに倣った、アットホームのスタイルである。姉弟がシッカートの知遇を得たのは、いとこの妻でメゾ・ソプラノ歌手のエルシー・スウィントンを介してのことであるが、音楽家として成功し因習に囚われない彼女の生き方に、イーディスはとりわけ感化された。当初、イーディスの不労所得は年100ポンド、第一次世界大戦中はチェルシーの年金事務所に勤めたこともあった（Greene 101）。『デイリー・ミラー』には3年弱の間に11編の詩を発表したが、報酬は1編につき2ポンド（Bradford et al. 40）。ヘレンは生徒を取って声楽とおそらくピアノも教授していたようだが、その収入は100ポンドに満たなかった（Pearson, *Façades* 96）。「年500ポンドの収入と鍵のかかる部屋」にはほど遠く、客に振る舞うのは紅茶とひとつ1ペニーの菓子パンだけ。オズバートが饗するフルコースとは雲泥の差であった。

第一次世界大戦後、オズバートはサー・ジョージがチェルシーのスワン・ウォークに借りてやった家で、一種のサロンを主催する。1919年6月、ベネットはオズバートの堂々たるホストぶりにいたく感心している。

> オズバート・シットウェル宅で晩餐。粋なメイドと二枚目の若い下男。上等の料理。魚のつぎにスープ。出席者は、W. H. ディヴィーズ、リットン・ストレイチー、〔レナード・〕ウルフ、ニコルズ、S. サスーン、オルダス・ハクスリー、アトキン（とても若い風刺漫画家）、W. J. ターナー、ハーバート・リード（とても若い詩人）。〔中略〕あの家は家具よりも絵画やこまごました装飾品がずっと良い。と言うより、家具と呼べるものはほとんど無かった。だがごく最近の絵画がたくさんあって、そのうちの多くをわたしは気に入った。明るい壁に明るい布地、明るいガラス器がいたるところにあった。ローランサンの見事な線画も1点あった。オズバートは若い。すでに立派なホストだ。楽しかったが、クリームたっぷりのデザートのあと消化不良を起こすに違いないと思っていたら、そのとおりになった。〔後略〕（*Journal*

vol. 2 286)

この頃、オズバートが文筆で得ていた年収はせいぜい50ポンドで、1,500から2,000ポンドの不労所得でも足が出る驕奢な暮らしであった（Ziegler 97）。ベネットが「若い〔young〕」を四度、「明るい〔bright〕」を三度用いていることは、家具らしい家具をあえて置かない新しい感性に強い印象を受けたことをよく伝える。イーディスとヘレンのフラットにまともな家具がなかったのは、貧しさゆえだったが、二つのサロンは、世代も出自も作風も異なる表現者を交わらせた点で、いずれ劣らず重要である。アメリカをホーボーとして渡り歩いたウェールズの詩人ディヴィーズ（1871-1941）は、ベイズウォーターの常連でもあった。サシーが兄の家に移り住むのはこの直後のことで、暮れには一緒にカーライル・スクエアの家に越す。

ジョン・ピアソンは、ベネットのような文壇の重鎮が、イーディスらのリフトも無い5階のフラットを訪れることなどなかったと推断しているが（*Façades* 153）、ベネットが幾度も招待に応じていたことは、1920年12月8日の日記に窺える——「昨夜はイーディス・シットウェルとヘレン・ルーサム宅に招待される。二つの部屋が煙と人でいっぱいだった。だが退屈ではなかった。あそこで退屈したことは一度もない」（*Journal* vol. 2 321）。妻マルグリットのフランス象徴詩のリサイタルに感銘を受けたイーディスが初めて夫妻をヘレンのアットホームに招いたのが、1919年2月のこと。翌月には、ベネットを会長とし、マルグリット、イーディス、ヘレンが運営委員を務める英仏詩協会が発足する。1903年にパリに渡ったベネットが1907年に出会ったマルグリットは、役者を目指しながら、ハイブラウのパーティーでのヴェルレーヌやボードレールの朗読を活動の中心としていた。イサドラ・ダンカンやコレットの舞台が上流階級の居間だった時代のことである（Drabble 136）。1912年に夫とともにイギリスに拠点を移してからは、フランス人のプロの役者によるフランス詩の朗読というニッチを開拓していた（Greene 137）。

協会発足時の会員名簿には、ダンディとその敵というカテゴリー分けにはとうてい収まらない名前が並んでいる。サスーン、バーナード・ショウ夫人、デイヴィーズ、アンドレ・ジッド、ジョン・ゴールズワージー、ヴァレリー・ラルボー、ヴィタ・サックヴィル＝ウェスト、モーリス・ラヴェル、ヒュー・ウォルポールらのうち、ジッド、ラヴェル、ラルボーはベネットがフランス時代から懇意にしていた芸術家であるし、サスーン、デイヴィーズ、サックヴィル＝ウェストは『ジョージアン・ポエトリ』の詩人でもある。趣意書に「（英仏の）詩の朗読とくだけた講和を組み合わせ〔中略〕ときには詩人が自身の作品を読み上げることもあるだろう。朗読はすべて訓練を受けた者による。なぜなら協会の目的は、詩の朗読を、朗読者と聴衆の双方に喜びをもたらすものにすることであるからだ」とあるように（qtd. in Greene 138）、イーディスは大真面目であったが、1921年のリサイタルに招かれたストレイチーは、その様子を私信で腐している。

> 昨晩、〔カーライル・スクエアでの〕シットウェルのディナーは恐ろしく退屈で、その後、彼ら〔オズバートとサシー〕に、アーノルド・ベネット宅での信じられないほどおぞましい集まりに連れて行かれた。彼〔ベネット〕は不在だったが、彼女〔マルグリット〕がいた。嗚呼、なんという女だ！　どうもなんかの詩の協会の集まりだったらしい。ランボーについての（たいそうお粗末な）講演かなんかを薄野呂の蛙〔ヘレンか？〕が披露し、つづいてイーディス・シットウェルが登場して、アリクイより長い鼻をして、馬鹿ばかしい自作を読み、おつぎはエリオット —— とても悲しげで元気がなく、見ていて泣きそうになった。最後にアーノルド・ベネット夫人が、両手を振り回し抑揚をつけてボードレールとヴェルレーヌを朗読し、しまいにはみんな吐きそうになった。〔中略〕何故に、嗚呼、何故にエリオットは、あんな連中と掛り合いを持っているのだ？〔後略〕（Strachey 84）

協会は、発足から約3年にわたって、月に一度の頻度で私邸やホールでリサイタルを催したが、1922年4月、マルグリットが選んだ朗読者が、プログラムにランボーのルーサム訳が含まれていることに不服を唱えたことをきっかけに、マルグリットとイーディスの関係が悪化し（Edith Sitwell, *Selected Letters* 36-37）、さらにマルグリットとベネットの別離によって、協会は自然消滅となったようである（Drabble 252）。

イーディスが協会を立ち上げた頃、サシーは、オクスフォードに入学して初めてのイースター休暇をフランスとスペインで過ごし、画廊を巡ってマティスやピカソ、ブラックを観、モディリアニのアトリエを訪ねるうちに、彼らをイギリスに紹介するという野心を抱いて帰国するや退学、オズバートのチェルシーの家に移り住む。サシーもオズバートもほんの半年前までこの方面の知識がほぼ皆無であったにもかかわらず、モディリアニのディーラーの助けを借り、ロジャー・フライには展示の作業に加勢してもらい、カタログにはベネットに序文を寄せてもらって、イギリスにおけるフランス現代美術の擁護者としての地位を確立する。（ただし買い手はつかず、モディリアニのうちの1点をベネットが、もう1点をオズバートとサシーが買い、残りはパリに送り返された（Drabble 247; Ziegler 116）。8月という時期も悪かったが、およそ10年前にフライが後期印象派展を二度にわたって開催し地慣らしをしたにもかかわらず、前衛芸術を受容する土壌は十分に育っていなかったということだ。）

1900年から39年のパリについて「20世紀の芸術と文学を創造しようとしていたわたしたちに相応しい場所」（Stein 25）と述べたパリのアメリカ人、ガートルード・スタインと、イーディスが初めて会ったのは1925年、ドロシー・トッドに仲介の労をとってもらってのことだった（Greene 176）。イーディスは、ロンドンに戻ると真っ先にスタインの原稿をダックワースに持ち込んで却下され、つぎにヴァージニア・ウルフに話を持ちかけてやはり退けられている（Greene 177）。イーディスはその後何ヶ月もかけてスタインの講演ツアーを準備し、ベイズウォーターのフラットを皮切りにケンブリッジのジーザス・コレッジとアクトンが会長を務めるオクスフォードの文学ソサイエティ、オーディナリー・ソサイエティを巡った。講演は後日、イーディスの秘蔵っ子BYPトム・ドライバーグの説得で、ホガース・プレスから刊行されることになる。

パリだけでなくフィレンツェ周辺にも、1920年代前半はとりわけ、リラ安も手伝い、ハクスリーを始めとするイギリスの作家たちがコロニーを形成していた（Pearson, *Façades* 198）。1928年にフィレンツェのピノ・オリオーリが『チャタレー夫人の恋人』を出版したことは、1922年にパリのシェイクスピア＆カンパニーが『ユリシーズ』を予約販売したことに劣らず重要な、英文学史上の出来事であろう。イタリアはシットウェル姉弟ゆかりの地でもある。とくにオズバートにとっては、10歳のとき肋膜炎の療養のためサン・レモに、サシーにとっては11歳の頃兄とベネチアに、父に伴われて滞在して以来の、第二の祖国であった。1902年から10年を費やしてルネサンス様式の庭園を訪ねて半島を隈なく巡った好事家の父親譲りの鑑識眼は、のちにオズバートの紀行文やサシーのバロック芸術論に発揮されることになる。オズバートとイーディスがロレンス夫妻と一度だけ会ったのも（そして姉弟にとっては不幸なことに、ロレンスにクリフォード・チャタレーの造形の材料を与えてしまったのも）、夫妻のヴィラを訪れてのことであった（Pearson, *Façades* 282）。

三姉弟のうち唯一大学に進んだサシーは、一年足らずでオクスフォードに見切りをつけるだけでなく、クライスト・チャーチ・コレッジの学部生だったウォルトンをロンドンの住まいに迎え入れ、兄とともに文字通りのパトロンとなる。王立音楽大学への進学を勧める学生監らをよそに、サシーは、アカデミックな訓練が才能を潰してしまうとウォルトンを説得し、思い留まらせたのである。イーディスの詩に曲をつけるよう提案したのもサシーであるから、代表作『ファサード』は彼の鑑識眼の産物と言える（ただしサシーの反アカデミズムがどこまで正当化できるかは、おおいに疑問の余地がある。たとえば1921年に『春の祭典』がイングランドで初演されたときの指揮者ユージーン・グーサンスは、1907年に奨学金を得て王立音楽院に学んだ作曲家でもあった）。オクスフォードでのサシーのもうひとつの手柄は、モードリン・カレッジの向かいに蟄居していた作家ロナルド・ファーバンク（1886-1926）を「発見」したことだ（Pearson, *Façades* 159）。サシーもオズバートも、数年前に姉に勧められて読んだファーバンクに心酔しており、オズバートは1918年に編集に関わるようになった『アート&レターズ』に『ヴァルマス』の第一章を掲載する。

『アート&レターズ』は社会主義者のフランク・ラターが前年に創刊した前衛的な季刊誌で、早々に資金繰りに行き詰まったラターが、オズバートの資力を当てにして接触してきたものであったが、実際にラターの借金を肩代わりしたのはベネットだった。ベネットは、若い世代のための媒体の必要性を訴えるオズバートの意気に感じて援助を決め（1918年9月12日、*Letters* vol. 1 265）、オズバートは実際、エリオット、パウンド、ウィンダム・ルイス、ハクスリーに発表の場を提供することになる。しかしジャーナリズムを知悉するベネットは当初から、オズバートのアマチュアリズムを懸念し、苦言を呈している。

> 次号はどんなに遅くとも10月末には出なくてはならないというのがわたしの考えだとはっきり伝えたことを、君は覚えているだろう。いまとなっては、全然不可能だろう。というか、クリスマス前に満足なものを出すことすら、もうできないのではないかね。定期刊行物というものは、たとえ季刊誌であっても、たいへんな時間と注力を要するもので、期日厳守が基本なのだよ。期日を守れなかったがために廃刊に追い込まれた季刊誌はたくさんある。したがって、この〔経営を引き継ぐという〕件から君は手を引いて、現在の所有者が当面留任すべきだろう。わたしがさほど躊躇なくこう助言するのは、君が政治の方で多忙なことを知っているからだ。（*Letters* vol. 3 72）

『アート&レターズ』は、ベネットの予想に違わず1920年に廃刊となった。この手紙は、オズバートの「政治の方」——すなわち1918年11月の総選挙への出馬——に言及している点でも注目に値する。次節で見るように、オズバートは無責任だとか不真面目だとかいうよりは、シリル・コノリーのいわゆる「マンダリン」であり、マンダリンとは、文学様式であると同時に文学で生計を立てずに済む生き方の謂である。

この頃オズバートは、「現代のアブラハム」、すなわち息子や兄弟を戦場に送って何事もなかったかのように戦前の暮らしに戻ろうとする産業資本家を痛烈に批判している。[16]

> 感謝します／主よ／戦争が終わったことに。／我々はこれで／注意を向けることができます／再び／金儲けに。鉄道株は上がるに違いなく／賃金は下がるに違いなく、煙は上がるでしょう／北部の煙突から／そして我々は戦艦を製造します。／感謝します／主よ／しかし我々は拒みます／音楽や絵画や詩について／考えることを。（"Old-Fashioned Sportsmen," *Collected Satires* 29）

現実には、鉄道株保有者は損失を被り、1919年から20年にかけて労働組合が勝ち取った週当たりの労働時間の13%削減によって、労働者の能率賃金は上昇するのであるが（McKibbin 42; Skidelsky 131）、それはさておき、オズバートが戦後、音楽や絵画や詩について考えることができたのは、不労所得のお陰であった。バランスシートなど自分にはちんぷんかんぷんだと嘯く息子に、父親は「わたしは、おまえが詩人として成功すべきだと思うし、本にまとめるために閑居するのは大賛成だ」と寛大だったし（qtd. in Ziegler 97）、「政治の方」に乗り出した際には、「政治は詩作よりも金はかかるが、紳士にはより似つかわしい趣味だ」（qtd. in Ziegler 113）という父親の資金援助と助言を得て、父親のスカーバラの地元から自由党候補として善戦し（保守党候補に敗れ）たのだ。

1921年8月にシットウェル家のダービシャーの邸宅レニショウ・ホールを訪れたサスーンは、三姉弟がシットウェル家の「財産に寄生し」「結構な絵画を蔵する古い屋敷に、騎士の装束についたシラミのようにしがみついている」と日記に書き残している。

> オズバートはジンジャー〔サー・ジョージ〕から金をむしり取るつもりだ、などなど。なぜO.はG.の支配に甘んじているのか？　完全に縁を切るほうが威厳ある態度というものではないか？　だが

> O. は奢侈と威光を好むあまり、きちんとした食事を一食たりとも犠牲にしたくないのだ。だから彼らは「支払いと小遣い」のことで小競り合いを続け、一族の誰かが死ぬのを待っているのだ。〔後略〕(qtd. in Bradford 109-10)

BYPの神話化に最も寄与したビートンとウォーは、テイラーが指摘するとおり、その現象を周縁から観察し利用した中産階級である。ウォーがオクスフォード時代の友人ロバート・バイロンとともに初めてレニショウを訪れたのは、BYPムーヴメントがすでに翳りを見せていた1930年8月のことであるが、ウォーの目に映ったシットウェル一家は、彼が「まさに、ずっとそうなりたいと願っていた種類の貴族」であった(Pearson, *Façades* 340)。日記の詳細な記述からは、数日間の滞在で受けた印象が鮮烈だったこと、とりわけ主たちと召使いの「封建時代の親密さ」が印象深かったことが読み取れる。

> 家族が集まっているところへ下男が、イーディスお嬢様に上のお部屋にいらっしゃるようにとの奥様からの伝言を持って来た。「わたしは行けないわよ。一日じゅう彼女と一緒だったんだもの。オズバート、あなた行きなさいよ。」「サシー、君が行きなよ。」「ジョージア、君が行ってよ。」などなど。下男:「さあ、いい加減にして。どなたかお行きなさいな」(qtd. in Pearson, *Façades* 340-41)

サー・ジョージはこの頃すでにレニショウをオズバートに譲っているから、下男はおそらくオズバートに騎兵隊時代から仕えてきたジョン・ロビンズであること、御鉢がサシーの妻にも回っていることを除けば、これは、姉弟と召使いのあいだで幼少時代から幾度となく繰り返されてきた一種の儀礼の再演である。イーディスは自叙伝で「懐かしいヘンリー・モート、父の従者にして、弟たちとわたしの生涯の友」(*Taken* 10)のことを、「いまにも生きた彼がドアから入って来て、わたしに『お逃げなさい、イーディスお嬢様。奥様が例のご様子でお嬢様を探しておられますよ』と告げるのではないかと」偲んでいる（*Taken* 16)。

使用人との関係に神経をすり減らしたヴァージニア・ウルフ（秦; Light）とは対照的に、姉弟は、労働者階級との和合を作品に描き込んでいる。和合はむろん姉弟の側の、ヴィクトリア朝末期からエドワード朝の貴族特有の幻想に過ぎないかもしれない（Ziegler 35)。だが、ヘンリー・モート、子守のデイヴィス、父方の祖母の庭師エルネスト・ドゥ・テイエが姉弟の霊感の源であったことは、間違いない。使用人たちは姉弟の作品に、名前と姿を替えて繰り返し登場するだけでなく、イーディスは「暁の歌」(“Aubade,” 1923）で女中ジェインと融合すらする。朝一番に厨房のコンロに火を点ける「鶴のようにノッポの」ジェイン（*Collected Poems* 177）は、オズバートの長編小説『爆撃の前』(*Before the Bombardment,* 1926）の、ホテルの女中イリーザを想起させる。冒頭の数ページは、ドイツ人であることを理由に不当に搾取されるイリーザの視点で描かれ、風習喜劇というジャンルに不釣り合いなほど細密で哀しくも美しい。スカーバラの冬の暁、ホテル中隈なく灯りを灯して回るため、イリーザが厨房でおこした「炎は、はじめ、かすかな青い揺らめきのなかで生まれ、その後たちまち逞しく成長し、鉄の檻の中から喉を鳴らして彼女の気を引いた」(*Before* 13)。

6．相互作用と往還運動

ヴァージニア・ウルフが、主人と使用人を含むあらゆる人間関係が変容した歴史上の転換点を1910年と定め（“Character” 445)、1924年当時に活躍していた作家たちをエドワーディアンとジョージアンとに振り分けて、ジョージアンが「作家稼業について学ぶことができる存命中のイングランドの小説家はひとりもいない」(“Character” 450）と主張したことは、夙に知られる。ウルフがジョージアンに分類したのはE. M.フォースター（1879-1970)、ロレンス（1885-1930)、ストレイチー（1880-1932)、ジョイス（1882-1941)、エリオット（1888-1965）であったが、翻って、彼女を含むブルームズベリー・グループのことを、コノリーの世代は、「古臭くてお堅い〔dowdy and puritanical〕」と感じていた（qtd. in Ziegler 92）。ブルームズベリーに代わって「イーディスは天才を、オズバートは品格を」見せつけ、若い世代の渇望を満たしたのだという（qtd. in Ziegler 92）。

ただしコノリーが文壇史を世代間の断絶と単線的な交代から成るものと見ていたわけではないことは、1938年の著書『約束の敵』に窺える。彼は「リアリズムまたは平易な言葉を用いる、非服従者、ジャーナリスト、常識論者、人間の運命の現実的な観察者のスタイルと、文人の洗練され〔Mandarin〕気取ったスタイルもしくは文筆を副業とする地位ある人びとのスタイル」を二大政党になぞらえ、ある瞬間にいっぽうが隆盛を極め他方が失墜したように見えても、両者は相互に影響を与えつつ、つぎの瞬間には後者が返り咲く、いわば往還運動と捉えているのである（45）。

> 19世紀の大御所たち、すなわち、ラスキン、アーノルド、ペーター、メレディス、ヘンリー・ジェイムズ、スウィンバーン、コンラッドは、ギッシング、バトラー、モーム、ベネット、ウェルズ、ショウといったリアリズム作家たちに取って代わられる。今度は彼らが殿堂から追い落とされる番が来た。1906年のことだったと思うが、総選挙で大敗して悄然となった保守党は、若きF. E. スミスが勝者に加えた攻撃のおかげで意気があがった。同じ年、退屈な書評のページで、もうひとりの才能豊かでダークホースでもある若者が、当時幅を利かせていた文学についての見解と当時最も著名だった批評家を攻撃した。(Connolly 45)

F. E. スミス（1872-1930）が引き合いに出されていることは興味深いが、その含意は後で検討することにして、まずは引用最後の一文に注目しよう。「若者」はリットン・ストレイチーを、著名な「批評家」はエドマンド・ゴスを指している。コノリーがマンダリンと呼ぶ洗練され気取ったスタイルはリアリズムに駆逐され、リアリストはマンダリンに駆逐される。しかし、ストレイチーが『ヴィクトリア朝の大御所』という「革命的な本」で名を馳せるのは1918年のことである（46）から、コノリーはストレイチーとウルフを1920年代の「新しいマンダリン」に分類し、そこに、さらにマンダリンに共通のロマンティックな散文スタイルで「詩人として出発した」シットウェル姉弟とプルーストを加える（49-50）。

相互作用はスタイルにのみ関わるものではなく、創作を可能にし成功を約束したり妨げたりするテクスト生産の諸条件に関わるものでもある。「文筆を副業とする地位ある人びと」という分類——何冊も本を出版しながら文筆を「紳士の趣味」と考えていたシットウェル姉弟の父親（Bradford 93）もこれに含まれよう——には、ジャーナリズムで生計を立てざるを得なかったコノリーの屈託が滲む。グリーンも認めるように、BYPのゴシップ・コラムニストたちは自らをアーティストと見なして、多くは小説を物し、文筆業に真剣に取り組んだし（Green 236-37）、互いをライバル視して一歩先んじるべく、ブルームズベリー、シットウェリズム、スクワイアーキーといった複数の陣営と、時々の必要に応じて親交を結んだのである（Green 273; Taylor 250-51）。ヴァージニア・ウルフの継兄ジェラルド・ダックワースは保守的な出版者であったが、パートナーのトーマス・ボールトンは三姉弟の作品を出版し、アンソニー・ポウエルを編集者として6年近く雇っていた。1922年、アクトンとハワードが在校中に作った一号雑誌『イートン・キャンドル』にはハクスリーやサシーら卒業生も寄稿しただけでなく、ハワードは美術商の父親のつてを頼って、ゴスが管理していたスウィンバーンの未発表作品のなかからソネットを1編提供してもらっている（Green 163）〔17〕。ハワードとダイアナ・ギネスはストレイチーと懇意だったし、『大転落』（1928）でスクワイアを揶揄したウォーは以前から父親と兄を通じてスクワイアを知っていて、スクワイアが1918年の総選挙にケンブリッジ大学の二議席を争って労働党から出馬した折には、票集めに奔走した（Taylor 70-80）。

結局のところ、二大政党の比喩は、二つの陣営のそれぞれが一枚岩でかつ互いに截然と分たれていることよりも、互いの区別が見かけほどは画然としていないことを表現するものではあるまいか。大衆民主主義国家にあっては、いずれの政党も、政権に就こうとするなら選挙を通じて有権者の多数の支持を取りつけねばならないのは自明の理であり、国民政党的利益の実現を目指すのは必定である。先のコノリーからの引用の二つの年号、すなわち1906年と1918年に注目してみよう。

労働者階級出身者が初めて有権者の3分の2ないし4分の3までを占めた1906年の総選挙は（Cannadine, *Decline* 40）、保守党支配の時代の終わりを告げることになった総選挙でもあったが、禁酒・節酒と平和外交を支持する自由党に対し、F. E. スミスは飲酒を肯定し愛国主義を掲げてリヴァプールの労働者階級の選挙区から出馬し、僅差で自由党候補を破った。当時の二大政党は保守党と自由党であるが、1900年に労働代表委員会が設立、1906年に労働党と改称され、労働者には二大政党以外の第三の選択肢ができた。労働党が初めて政権の座に着くのは、1924年のことである。

スミスは1918年まで議席を守り準男爵に叙せられ、翌年にはロイド・ジョージから大法官に任ぜられると同時に貴族院議員となり、さらに男爵を授けられる。1918年の保守党下院議員338名のうち、じつに4分の3もの議員が後に爵位を得ることになるが（Pugh 360）、スミスもそのひとりということになる。歴代の首相で在任中最も多くの爵位を売ったロイド・ジョージ（1916-22）を、政敵はその醜聞を利用して追い落とそうとし、1925年には叙爵の濫用を防止する法案の可決にいたるも、爵位の売買は続く。1884年から85年にかけての第三次選挙法改正以降、どの政党も大口後援者の爵位授与を後押ししてきたし、皮肉なことに、ロイド・ジョージを糾弾した保守党の政治家たちも、ロイド・ジョージが爵位を売った人びとからの献金を当てにせざるを得なかった。労働党のラムジー・マクドナルドですら、資金提供を受けた見返りにマクヴィティの経営者に準男爵を授与している（Pugh 357）。

ロイド・ジョージの連立政権がすべての階級の利害を代表することは叶わず、1920年代を通じて二大政党制は「生産者（producers）」と「不労所得生活者（rentiers）」すなわち社会の有益／無益な構成員の対立というレトリックに根差すものだった（McKibbin 49）。しかるに現実には両者を腑分けすることは容易でなかった。19世紀末には投資収入で生計を立てる者を指していたrentierという言葉は、戦後、国債の利息を主たる収入源とする者を意味するようになる（McKibbin 44)。生産者の党を標榜する労働党は（収益に課す税に対して資本または財産に課す）資本税の導入を図るが、じつのところ、労働者の多くも国債を保有していたためか、支持を得られず断念せざるを得なかった（McKibbin 51)。

グリーンのナラティヴにおいて1906年という年号が重要な意味を成すのは、オクスフォード大学の学生団体オクスフォード・ユニオンが、初めて外部から二人のスピーカーを招き、ロンドンの聴衆を意識した全国的組織へと転換した年であり、その二人こそがスミスとウィンストン・チャーチルであったからだ（Green 183)。とくにスミスは第一次世界大戦後から1920年代いっぱい、しばしばユニオンのディベートに顔を出し、将来有望と見込んだ若者たちのメンターを自ら任じていた（65)。オクスフォードに近いコッツウォルズの屋敷にはつねにたくさんの学部生が出入りし、ゴルフやテニス、ブリッジ、乗馬に興じていたという（64)。盟友ウィンストン・チャーチルに比べると見劣りのする中産階級の出身ながら、チャーチル同様、典型的なトーリー・ラディカルとして、学部生の心を失わず、葉巻とウィスキー、ギャンブルと豪勢な暮らしをこよなく愛し、妻はブライアン・ハワードの母親と親友で、息子フレデリックはランドルフ・チャーチルの友人だった（65)。

コノリーの二大政党制の喩えは、少なからぬマンダリンが「文筆が副業の地位ある人びと」、すなわち法曹、軍人、聖職者、外交官のほか、貴族院の構成員か、そうでなくとも日本で言う「三バン」のいずれかを親から受け継いで庶民院の議席を争うような、いわば政治を家業とする家の子であったことを思えば、さほど唐突でないことに気づく。オズバートも然り。サー・ジョージ自身は保守党庶民院議員を二期（1885-86, 1892-95）務めた後、1906年に自由党に鞍替えしている。ただしそれは政治的変節というよりも、家族への当てつけだと、少なくとも妻は解釈したようである。伯爵家から嫁いだレディ・アイダは、夫を念頭に「準男爵は地上で一番卑しいもの」だとつねづね語っていたといい（*Taken* 33)、オズバートに手紙でつぎのように訴えている。

あなたのお父さまが急進党〔Radical Party〕に入って、わたしはたいへん悲しいです。彼の振る舞いはたいへん思いやりを欠いていて、入るまでわたしにひと言も言ってくれなかったのですよ。わたしは本当に惨めな気分です。あまりひどいことをしないよう、あなたからお父さまに言ってほしいの。貴族院にかまわないでほしいとつくづく願っています。あなたからひと言言ってもらえれば、よけいなことはしないだろと思うのよ。(qtd. in Ziegler 32)。

1905年に政権に返り咲いた自由党が着手した改革は、たしかに急進的であったが、貴族院はキャンベル＝バナマン内閣の1906年の労働争議法の成立を阻止しなかった。だが、跡を継いだアスキス内閣の蔵相ロイド・ジョージが1909年に富裕層への課税を社会福祉の原資とする「人民予算」を提出すると、貴族院は猛反発して否決。1910年4月、ジョージ5世がアスキスの説得に応じて、自由党の貴族院票を集めて保守党を抑えることに同意して、ようやく成立し、これをきっかけに1911年8月、貴族院の権限を厳しく制限する議会法案が通過した（Cannadine, *George V* 39）。貴族院は財政法案の成立を妨げられず、その他の法案も三会期連続して庶民院を通過すれば貴族院の同意なしでも成立すると定めるこの法律は、庶民院を最高の立法府として確立することになったが、裏を返せば、貴族院が法案成立を2年遅らせる力を有することを意味した（小関 281）。

「父母の『成熟した』価値観に公然と反抗するようなスタイル」という定義を逸脱するシットウェリズムを、ウォーは『ブライズヘッド再訪』に描き込み、ウォーとともにレニショウに招かれたビートンは、厳かにして絢爛な客間で三世代を捕らえた肖像写真で視覚化した【図4】。その一枚を含め後日送られて来た複数の写真への謝意を、イーディスはつぎのように伝えている——「レニショウで写真にどれほど興奮したか、まったく言葉では伝えられないほどです。〔中略〕わたしたちは皆、母も含めて、興奮のあまり半分頭がおかしくなり〔中略〕新聞に掲載されるのを待ち望んでいます」(qtd. in Bradford 219)。

【図4】左奥がサシー、手前がサー・ジョージ、屈んでいるジョージアの後ろにサシーとの長男レレズビーとレディ・アイダ、右隣がイーディス、右端がオズバート（Bradford et al., *The Sitwells*, 199）。

Notes

◉ 本稿は、日本ヴァージニア・ウルフ協会第41回全国大会シンポジウム「Bright Young Things の／とモダニズム」（2021年11月7日、オンライン開催）における発表原稿「フィーメール・ダンディ・アット・ホームズ――大戦間期の英国サロン文化」に大幅に加筆したものです。外部講師としてお招きくださった協会、大会委員の大田信良氏、ともに登壇させていただいた髙田英和氏と大道千穂氏、貴重な質問やコメントをお寄せくださった会員の皆様に感謝いたします。また本研究は、科研費基盤研究（C）19K00389の助成を受けています。

[1] 以下本文で、マーティン・グリーン（Martin Green）と、イーディス・シットウェル研究の第一人者で詩人のリチャード・グリーン（Richard Greene）

との混同を招きそうな箇所では、本文丸括弧内の出典情報に原綴りを付す。

［2］リーヴィスが最も「重要」と認める同時代の詩人を「批判的に論じる」1932年の著作は、自らの、何をもって「重要」とするかの「厳格な」基準を誇っている（2）。しかし、一章ずつを割いたT. S. エリオット、エズラ・パウンド、ジェラルド・マンリー・ホプキンスの三人のうち「二人までがアメリカ生まれ」であり（2）、ホプキンスはヴィクトリア朝人である。リーヴィスいわく、1889年に没したホプキンスが正当な評価を受けず1918年までアンソロジーが編まれることもなかったばかりに、その独創性に学ぶことのないまま、「ジョージ朝詩人たちが英詩を再生しようと無駄な努力〔the futility of the Georgian attempt to regenerate English poetry〕」をすることになった（159）。

［3］これは、拙論「リアリズムとモダニズム」以来の筆者のプロジェクトでもある。

［4］ただし公演時にはタイトルを『眠れる森の美女』〔*The Sleeping Beauty*〕から『眠れる王女』〔*The Sleeping Princess*〕に改めている。その理由をシュヴァロフは、英国伝統のクリスマスのパントマイム劇と混同されたくなかったからではないかと推察している（146）。

［5］オズバートがベネットに献呈した『爆撃の前』には“dear, good, uncle Arnold from a nephew”の献詞が添えられ、その直前には、ペルメル街を歩いていたベネットを見かけた兄弟が、乗っていたタクシーを止めて“their uncle”にあいさつしている（Bennett, *Journal* vol. 3 180）。かたやイーディスは終始“My dear Mr. Bennett, … Yours ever Edith Sitwell”と折目正しいが、1920年1月29日付のベネット宛の書簡からは、ベネットのおじのような気遣いが窺われる。ベネットはおそらく、1月10日に出版された『ホイールズ』第五集巻末の「新聞・雑誌の切り抜き」〔“Press Cuttings”〕に『ホイールズ』を好意的に評した『マンチェスター・ガーディアン』の記事が含まれていないことを見て、激励のために切り抜きを送ってやったものであろう。イーディスは、文壇の重鎮が手ずから切り抜いて郵送してくれたことに、「ほかの誰もそのようなことを思いつきもしなかったことでしょう」と謝意を伝えている（*Selected Letters* 32-33）。

［6］1万ポンド（Pearson, *Façades* 465; Ziegler 290）。英国国立公文書館ウェブサイトの通貨換算機（www.nationalarchives.gov.uk/currency-converter/）を用い

た上で、もっとも控え目に現在の日本円の購買力に換算して4千万円強。

[7] ジョージア手製の写真アルバムの同じページには、ビートンから送られたこの写真のすぐ下に、豹柄のガウンを纏ったビートンのポートレイトが貼られており（Bradford et al. 212に図版として掲載）、ゲストが羽織っているのもこのガウンであるらしいことが見て取れる。

[8] イーディスがオウエンの母スーザンに宛てた1919年11月3日付の書簡より。オウエンの死から11月4日で1年になるのに合わせて『ホィールズ』第四集がスーザンに届くよう計らったことを知らせる、心のこもった私信である。

[9] むろん「モダニズム」という呼称はアナクロニズムである。越智(3)を参照。

[10] 第一集は、第二集出版（1917年1月）後の1917年3月に第二版が出版され、その際にはオズバートが無署名で韻文の序（“In Bad Taste”）を寄せ（第二集の序 “In Bad Taste 2” は署名入り）、巻末に18ページにわたって新聞・雑誌の評や記事（“Press Notices”）を転載している（89-96）。多くは酷評ないし冷評であるが、第二集以降、第五集までこの構成は踏襲され、記事に対するイーディスの公開書簡や短い弁駁を添えることもあった。『ワールド』紙は「ミス・ナンシー・キュナードはスマートな社交界の若い女性〔smart society of girls〕のグループの一員」（qtd. in *First Cycle* 96）、『ウィークリー・ディスパッチ』はナンシーが「サー・バッシュとレディ・キュナードの娘」とそれぞれ付言するのを忘れていない（ibid. 95）。『ホィールズ』の出版を、『モーニング・ポスト』が「50年後に英文学史上の注目すべき出来事として思い出されるだろう」と評したのに対し（ibid. 90）、『ウィークリー・ディスパッチ』は「若く教養あるアマチュアの一団」による「失敗に終わった企て」（ibid. 94）、「文壇の出来事というよりも社交界の出来事」（qtd. in *Fifth Cycle* 113）と揶揄した。

[11] 第四集まではオクスフォードのB. H. ブラックウェル、第五集はレナード・パーソンズ、1920年にダックワースが再版、第六集はC. W. ダニエル。

[12]「編者による註——この詩は、作者の残した書類のなかから発見された。これは、この奇妙な音調で終わっている」（*Wheels, 1919, Forth Cycle* 55）。グリーンによれば、1919年2月、オウエンの母スーザンから、オズバートが手稿を預かり、イーディスとサシーとで公刊に向けてさまざまな詩を書き写し、イーディスはスーザンと何度も手紙のやりとりをしていた。ところが最後の2編を読み解く際にサスーンの助けを求めたところ、サスーンは

オウエンの友人として自分が出版すると主張し、手稿を持ち去ったという(Greene 129)。

[13] "The Jolly Old Squire or Way-Down in Georgia." *The Collected Satires and Poems of Osbert Sitwell Collected Satires* のオズバートによる註を参照のこと(92)。大谷伴子による本書第4章の註12も参照されたい。

[14] 引用はすべて*The Collected Satires and Poems of Osbert Sitwell*より。ただし"Corpse-Day" の初出は、『ホィールズ』第四集(9-11)で、その巻頭を飾っている。表題に添えられた「1919年7月19日」という日付に、*The Collected Satires and Poems*では「公式の平和祝典〔The official celebration of Peace〕」と脚注が付いているのは、1931年の刊行時に、すでに先の大戦を忘却しようとしていた社会への批判と読める。なお拙訳は、今日では容認し得ない差別的表現を含むが、戦争のむごたらしさを伝える原文に忠実であろうと意図したものである。

[15] この年の夏、戦功十字勲章を授けられながら、反戦の声明を出して軍法会議で処分されかねなかったサスーンを、グレイヴズとマーシュはシェルショックを理由に赦免されるよう奔走したが、ゴスはサスーンの「判断力を欠いた虚栄心」と冷ややかだった(Egremont 156-63)。

[16] "The Modern Abraham" と題された詩自体は、1917年、サスーンに捧げられたもの(23)。オウエンの "Parable of the Old Men and the Young" と同じく、創世記22章で神の命じるままに息子イサクを差し出す族長アブラハムをモチーフとしている。

[17]『イートン・キャンドル』の今日の評価については本書第1章を参照のこと。

Works Cited

Acton, Harold, *Memoirs of an Aesthete*. 1948. Faber and Faber, 2008.

Bennett, Arnold. *Journal of Arnold Bennett*. 1932. Books for Library P, 1975. 3 vols.

---. *Letters of Arnold Bennett* Ed. James Hepburn, Oxford UP, 1970. 4 vols.

Bradford, Sarah. *Sacheverell Sitwell: Splendours and Miseries*. Sinclair-Stevenson, 1993.

Bradford, Sarah et al. *The Sitwells and the Arts of the 1920s and 1930s*. 1994. U of Texas P, Austin, 1996.

Butler, Judith. *Antigone's Claim: Kinship between Life and Death*. Columbia UP, 2000.

Cannadine, David. *The Decline and Fall of British Aristocracy*. Vintage, 1999.

---. *George V: The Unexpected King*. 2014. Penguin, 2018.

Connolly, Cyril. *Enemies of Promise*. 1948. U of Chicago P, 1983.

Crawford, Robert. *Young Eliot: From St. Louis to The Waste Land*. Penguin, 2015.

Drabble, Margaret. *Arnold Bennett*. Weidenfeld & Nicolson, 1974.

Egremont, Max. *Siegfried Sassoon: A Biography*. Picador, 2005.

Graves, Robert and Alan Hodge. *The Long Week-End: A Social History of Great Britain 1918-1939*. 1940. W. W. Norton & Company, 1994.

Green, Martin. *Children of the Sun: A Narrative of "Decadence" in England after 1918*. Basic Books, 1976.

Greene, Richard. *Edith Sitwell: Avant-Garde Poet, English Genius*. Virago, 2011.

---. Ed. *Selected Letters of Edith Sitwell*. Virago, 1997.

Hammill, Fay. "Noël Coward and the Sitwells: Enmity, Celebrity, Popularity." *Journal of Modern Literature*, vol. 39, no. 1, 2015: pp. 129-48.

Hynes, Samuel. *The Auden Generation: Literature and Politics in England in the 1930s*. 1972. Princeton UP, 1982.

Leavis, F. R. *New Bearings in English Poetry*. Chatto & Windus, 1932.

Light, Alison. *Mrs. Woolf and the Servants: An Intimate History of Domestic Life in Bloomsbury*. Bloomsbury, 2008.

McKibbin, Ross. *Parties and People: England 1914-1951*. Oxford UP, 2010.

Morrisson, Mark S. "The Cause of Poetry: Thomas Moult and *Voices* (1919-21), Harold Monro and *The Monthly Chapbbok* (1919-25)," *The Oxford Critical and Cultural History of Modernist Magazines: Vol. 1, Britain and Ireland 1880-1955*. Ed. Peter Brooker and Andrew Thacker, 2009: pp. 405-27.

Muir, Robin. "From Tallulah Bankhead to Edith Sitwell, Honouring the Timeless Romance of Cecil Beaton's Early Portraits," *Vogue*, 16 Mar. 2020, www.vogue.co.uk/.arts-and-lifestyle/article/cecil-beaton-bright-young-things.

Owen, Wilfred. *The Pity of War*. Phenix, 1996.

Palmer, Alan and Veronica. *Who's Who in Bloomsbury*. Harvester, 1987.

Pearson, John. *Façades: Edith, Osbert, and Sacheverell Sitwell*. 1978. Bloomsbury Reader, 2011. *Kindle*.

---. Foreword. *Ratweek: An Essay on the Abdication*, by Osbert Sitwell, Michael Joseph, 1986.

Pugh, Edwin. *We Danced All Night: A Social History of Britain between the Wars*. The Bodley Head, 2008.

Reed, Christopher. "A Vogue that Dare Not Speak its Name: Sexual Subculture During the Editorship of Dorothy Todd, 1922-26," *Fashion Theory*, vol. 10, no. 1/2, 2006: pp. 39-72.

Sitwell, Edith. *Collected Poems*. Duckworth, 1933.

---. *Selected Letters of Edith Sitwell*. Ed. Richard Greene. Virago, 1997.

---. *Taken Care Of: An Autobiography*. 1965. Bloomsbury Reader, 2012.

---. Ed. *Wheels, 1919, Fourth Cycle*. B. H. Blackwell, 1919. *Modernist Journals Project*. modjourn.org/journal/wheels/.

---. Ed. *Wheels, 1920, Fifth Cycle*. Duckworth, 1920. *Modernist Journals Project*. modjourn.org/journal/wheels/.

Sitwell, Osbert. *Before the Bombardmen*t. 1926. Oxford UP, 1985.

---. *The Collected Satires and Poems of Osbert Sitwell*. 1931. AMS, 1976.

---. *Ratweek: An Essay on the Abdication*. Michael Joseph, 1986.

Skidelsky, Robert. *John Maynard Keynes: The Economist as Saviour 1920-1937*. MacMillan, 1992.

Stein, Gertrude. *Paris France*. 1940. Peter Owen, 2020.

Strachey, Lytton. *The Letters of Lytton Strachey*. Paul Levy Ed. Farrar Straus & Giroux, 2005.

Taylor, D. J. *Bright Young People: The Rise and Fall of a Generation: 1918-1940*. 2007. Vintage, 2008.

Wheels, 1916, First Cycle. 2nd. Ed. B. H. Blackwell, 1917. *Modernist Journals Project*. modjourn.org/journal/wheels/.

---., *1917, Second Cycle*. B. H. Blackwell, 1917. *Modernist Journals Project*. modjourn.org/journal/wheels/.

Woolf, Virginia. "Character in Fiction." 1924. James Hepburn Ed. *Arnold Bennett: The Critical Heritage*. Routledge & Kegan Paul, 1981: pp. 442-60.

---. *The Diary of Virginia Woolf. Volume Three 1925-1930*. Ed. Anne Oliver Bell. Harvest/HBJ, 1981.

---. *The Letters of Virginia Woolf. Vol. 3: A Change of Perspective*. Ed. Nigel Nicolson. Hogarth Press, 1977.

Ziegler, Philip. *Osbert Sitwell: A Biography*. Pimlico, 1999.

荒木映子『第一次世界大戦とモダニズム――数の衝撃』世界思想社、2008年。

井川ちとせ「リアリズムとモダニズム――英文学の単線的発展史を脱文脈化する――」大杉高司編『一橋社会科学 第7巻別冊 特集：『脱／文脈化』を思考する』、2015年3月、pp. 61-96。

一條彰子「バレエ・リュスを知るために」、セゾン美術館、一條編『ディアギレフのバレエ・リュス1909-1929』セゾン美術館、1998年、pp. 8-21。

越智博美『モダニズムの南部的瞬間――アメリカ南部詩人と冷戦』研究社、2012年。

小関隆『プリムローズ・リーグの時代――世紀転換期イギリスの保守主義』岩波書店、2006年。

酒井善考 Introduction. *Selected Poems of Edith Sitwell*, by Edith Sitwell, with Introduction and Notes by Yoshitaka Sakai, 研究社、1936年、pp. i-lvi.

秦邦生「ヴァージニア・ウルフと『誰もの生』――『波』におけるハイ・モダニズム、キャラクター、情動労働」日本ヴァージニア・ウルフ協会他編『終わらないフェミニズム――「働く」女たちの言葉と欲望』研究社、2016年、pp. 146-71。

シュヴァロフ、アレグザンダー「『眠れる森の美女／オーロラ姫の結婚』」、セゾン美術館、一條編『ディアギレフのバレエ・リュス1909-1929』、pp. 146-47。

髙田英和「F. R. リーヴィスの偉大なる伝統とスコットランド文学の分離」『D. H. ロレンス研究』第29号、2019年、pp.43-60。

芳賀直子「『ネプチューンの勝利』」、セゾン美術館、一條編『ディアギレフのバレエ・リュス1909-1929』、p. 172。

第3章

「ブライト・ヤング・ピープル」の黄昏と戦間期以降の英国リベラリズムの文化

高田 英和

1.「ブライト・ヤング・ピープル」とリベラリズム

1920年代初めの英国に出現した、新しい若いグループ・集団を「ブライト・ヤング・ピープル（Bright Young People）」といい、そして、その彼ら／彼女らの文化、この特徴を、一言で述べるのなら、それは、「貴族的」且つまたセレブ的、であるということも、広く知れ渡っていることだろう。ここで、おもしろいのは、「貴族的」・セレブ的とは言っても、この若者たちには、お淑やかさは微塵もなく、大量の飲酒をするわ、麻薬も嗜んだりと、朝方までどんちゃん騒ぎの「パリピ」の毎日という感じで、ある意味、そこには、大衆・消費文化の醍醐味とその雰囲気が、言い換えれば、ハイ・カルチャーとは対照的なポピュラー・カルチャーが、これでもかと言うほど全面に押し出されていて、それゆえに、この点にこそ、この若者たちの文化のおもしろみや歴史的意味があるのかもしれない。この「ブライト・ヤング・ピープル」の文化は、1920年代の末には、衰退するとされているようなのだが、はたして、そうなのか。

本論では、「ブライト・ヤング・ピープル」がその勢いを失ったと言われるあとの時代、すなわち、1930年代の英国の社会／文化を、（でもこの若者文化の残滓を頭に入れながら）今一度、だが批判的に、見ていくことにする。具体的には、①オックスフォードの「インクリングズ（Inklings）」の系譜に連なるあるいは深層で関係すると思しき作家や人物およびその作品（群）すなわち文藝・文壇とその文化、そして、②英国の都会の暮らしや生活とその様式というよりは、むしろ、農村の社会と文化、これら二点に着目する。そのうえで、「ブライト・ヤング・ピープル」の影または亡霊というようなものが、どのように、30年代の（さらには50年代・Mid-centuryをも視野に入れながら）オックスフォードを中心とするファンタジー・児童文学および田舎性を纏う／纏い続ける英国のリベラリズムの文化と、絡まっているのかを探ってみたい。

2.「太陽の子供たち」とオックスフォード

Marina Mackayの*Modernism and World War II*という本がある。このMarina Mackayの本は、Martin Greenの*Children of the Sun*という本を、「アンクリティカル・ノスタルジア」と、批評している。

> Waugh and Green's shared milieu of 1920s Oxford has often been discussed, and this group of very young men – most famous among them Waugh, Green, Harold Acton, Brian Howard and Anthony Powell – tend be described in semi-mythic terms. What Waugh began in *Brideshead Revisited* was later pursued in Martin Green's *Children of the Sun* and Humphrey Carpenter's *The Brideshead Generation*, and this reverence for a group of virtual schoolboys, however, talented, runs uncomfortably close to an uncritical nostalgia for the orgy of whimsy that the privileged world of the boys' private club made possible; in many respects this group embodies interwar England's intersections of economic and cultural privilege. (Mackay 120, 下線は引用者、以下同様)

Mackayが言うには、1920年代に活躍した、この若いグループは、英国において、文化的、経済的に重要であったにもかかわらず、Greenの本には、その視点・観点が無いと、述べている。（このMarina Mackayという人物については、のちほど、もう少し詳しくふれてみたいが、）ここで、まず、押さえておきたいことは、このMackayの本において、「太陽の子供たち」すなわち「ブライト・ヤング・ピープル」について、その可否も含めて、言及されていることをふまえると、この若いグループについて、今、考察することは、それほど的外れではないのではないか、ということにある。[1] このように、MackayはこのGreenの本を「アンクリティカル・ノスタルジア」と批評しているが、ここでは、Greenのこの本を、もう少し見ていきたい。というのも、そうすることで、なぜMackayがそのようにとらえたのかについて、その意味と理由が明らかになるのではないか、と考えられるからである。

Greenの、この*Children of the Sun*という本には、その副題（A Narrative of "Decadence" in England After 1918）にもあるように、デカダンス、すなわち、ダンディ、ダンディズムの重要性が示されている。具体的な、中心的な人物を挙げると、それは（Mackayも示しているように）次の二人、Harold ActonとBrian Howardで、そして、特に、そのActonも崇拝するほどの、超別格的な人物が、the Prince of Walesで、それはのちにEdward VIIIとして即位することになる点からもわかるだろう。

> Whereas the Prince of Wales, who was always in conflict with his father, was the most public image of the *Sonnenkind* of the period – so youthful, slender, blond, ingenuous, pleasure-seeking. [...] Harold Acton, according to Cyril Connolly, adored the prince. (Green 48)

このthe Prince of Wales（のちのEdward VIII）の超別格さについては、たとえばD. J. Taylorも同様に指摘している。

> However exalted some of these personal connections, they were altogether dwarfed by a far more glamorous lure: the cult of the Prince of Wales. The future King Edward VIII was one of the chief media preoccupations of the 1920s. (Taylor 29)

と同時に、Greenの本には、そのダンディズムを避けるような文芸・文壇の文化が、ほぼ同時代のイギリス／オックスフォードには存在していたことが示されている。それが「インクリングズ」の文化で、具体的な人物としては、J. R. R. TolkienとC. S. Lewisが挙げられている。

> My attention has been caught, in studying this material, by one group of British intellectuals who avoided dandyism [...]. They set themselves to create cultural images for Christ, and for a Christian temperament, that would be meaningful to the age – C. S. Lewis, for instance, allied these concerns with the form of science fiction. (Green 429-30)

> Waugh and Auden both learned a lot from Chesterton's imaginative tactics [...]. But Chesterton's most direct descendants were C. S. Lewis, Dorothy Sayers, Charles Williams, and J. R. R. Tolkien – the Oxford "Inklings." These people escaped dandyism and aestheticism [...]. (Green 430)

その部分でGreenが言っているのは、端的に言えば、「インクリングズ」の出現は、「太陽の子供たち」あるいは「ブライト・ヤング・ピープル」の存在があってこそ、可能であった、ということになる。「太陽の子供たち」の否定のうえに、あるいは、「ブライト・ヤング・ピープル」の影または亡霊をつねにすでに伴いながら、「インクリングズ」のグループは居る、ということである。言い換えるならば、それは、コインの裏表の関係にあることになるであろう。

GreenのChildren of Sunの主題は、その本のタイトルにもあるように、「太陽の子供たち」、本論の趣旨に置き換えて言うのであれば、それは、「ブライト・ヤング・ピープル」という子供たち、その系譜とその重要性にある、ということになる。それはまた、「神」の子供たちの系譜でもある。「ブライト・ヤング・ピープル」の、その中心の、Edward VIIIおよびBrian HowardとHarold Actonは、要は、極言すると、「神」と「神」側の人たちつまり前近代的な主体・人物で、その人物たちが、メディアの力によって、近代的な一般的な人物たちと混ざり合う、すなわち、「大衆化」（近代化）を推し進める、この点にこそ、この文化のポイントがある【図１】。他方、「インクリングズ」に限れば、特にC. S. Lewisがそうであるように、

【図1】"An Oxford Party" from Green [between 208-09].

この「インクリングズ」の文化は、その土台にキリスト教が確固としてあり、そのうえで、形成・構築されている。このことは、文化的な想像のレベルで、「ブライト・ヤング・ピープル」の主要な人物たちの前近代性と、密接な、あるいは、それと交差した、関係にあるということが、重要なポイントであるだろう。言い換えれば、これら二つの文化は、別々の、切り離された、前近代の社会と近代の社会を、一つにまとめるという機能・効能があったことになるし、別の言い方をすれば、T. S. Eliotの"Dissociation of Sensibility"の問題をひそかに継承しているのが、これら二つの文化ということになるだろう。

このGreenの本、その最後の部分において、Greenが問題にしているのは、端的に言えば、リベラリズムの再編の問題だということにあるし、Greenがこの本で行おうとしていることは、基本的にはEdward VIIIおよびBrian HowardとHarold Actonを中心とする「ブライト・ヤング・ピープル」の文化の全体像を示す、と同時に、その文化を批判している点にある。それはつまり、英国のリベラリズムがオックスフォードを中心にして形成されたリベラリズムであるということ、これをGreenは、オックスフォードではなくその代わりのケンブリッジとそのリベラリズムに置き換えるということで、批判し、それを、この本では、Tolkien や Lewis（ならびにW. H. Audenさらにはエヴリン Evelyn Waugh）をも批判することによって行なっている。この点にこそ、Greenの本の意義はある。

> Most aspects of their ideological and imaginative behavior strike me as more generous, intelligent, and dignified than those of either Leavis or Waugh – or Orwell, for that matter – if considered in the abstract. But considered in the concrete, the ideas of the last three have at various times meant everything to me, while the others *mean*, in that sense, nothing. (Green 430)

> So I am no more attracted to Auden and Lewis and Tolkien than I ever was. It is not they but Nabokov who holds the key to the locked door of England's dungeon. (Green 431)

そして、さらに、その本の最後の最後で、Vladimir Nabokovを持ってきて、Nabokovの示すリベラリズム、それは（ケンブリッジを起点にして）ヨーロッパを経由しアメリカに至るというそのようなリベラリズムこそが正しいリベラリズムであることを示している。この点が非常に興味深いし、押さえておきたい点である。

ただ、Greenの示すリベラリズムはというよりかは英国のリベラリズムはオックスフォードやケンブリッジという違いがあるにせよ、基本的にはリベラリズムに重点を置いていて、そこの土台は決してずらさないということに最大の問題はあるのだが、それでもオックスフォードの示すリベラリズムをGreenがきちんと批判してる点は評価すべきことであるだろう。Greenのこの本が面白いのは、英国の中心としてのオックスフォードとそのリベラリズムを形成しているのが「太陽の子供たち」すなわち「ブライト・ヤング・ピープル」であると同時に、この裏側に存在していると思しき人物たち言い換えればTolkienとLewisの「インクリングズ」とその文化でもあるのだということにあり、より正確に言えば、この「インクリングズ」の文化を通して、「太陽の子供たち」／「ブライト・ヤング・

ピープル」の文化を、批判している点にこそある。[2]

3. インクリングズとクリスチャン・ソーシャリズム

Greenの言う「インクリングズ」の駄目さに関連して言えば、Raymond Williamsが*The Country and the City*において、同じようなことを言っている点も、重要となるであろう。そこには、端的に言うと、「インクリングズ」の、ここでは、Tolkienになるが、その作風こそが、実際の／現実の、廃れた田舎のすがたを隠蔽し、昔ながらの、田舎のなかの、田舎が、今もそのままのかたちで、温存されているのだと、記されてあり、Tolkienおよびその系譜の「ファンタジー」文芸作品（群）を痛烈に批判している。

> There was an extraordinary development of country-based fantasy, from Barrie and Kenneth Grahame through J. C. Powys and T. H. White and now to Tolkien. […] [T]he real land and its people were falsified; a traditional and surviving rural England was scribbled over and almost hidden from sight by what is really a suburban and half-educated scrawl. (Williams 258)

Williamsが、Martin Greenもそうであるが、F. R. Leavisの弟子であることを鑑みると、これはこれで、非常に興味深いことであるし、と同時に、それも含めて、あらためて見てみると、WilliamsとGreenの両者ともに、この「インクリングズ」の駄目さを指摘しているというのは、たまたまの偶然、あるいは、必然、なのであろうか。Leavisが大衆化という問題を常に頭の隅に置いていたことを考えると、押さえておきたいことは、次の二点で、①田舎とファンタジーは相互に且つ不可分の重要な要素になっていて、ゆえに、田舎の崩壊とファンタジーの興隆は、一つのセットで、コインの裏表の関係にあるということ、そして、②ここで、同時に、「田舎」が「文化」的に、イメージとして、重要になるのだと、実際の／現実の田舎とその社会は（たとえば、実質的に、農業は、輸入品が入って来ているので、）もうすでに駄目になっているんだけど、ということ。逆に言えば、極言すると、田舎が存在しないと、資本主義が成り立たないし、つまり、田舎が資本主義の原動力として稼動／機動するということになっているのだという点が、根本的な問題としてあり、そして、それが、このように問題視される、ちょうどそのときに、その問題を隠蔽するかのように、いや、隠蔽するための機能として、「インクリングズ」が出現することになった、ということが、肝要となるのであろう[3]。

さらに、この、Williamsも言う「インクリングズ」の駄目さは、「クリスチャン・ソーシャリズム（Christian socialism）」との関連で、見てみると、より、おもしろいかもしれない。一応確認しておくが、クリスチャン・ソーシャリズムとC. S. Lewisの繋がりについては、たとえば、Jack Zipesが指摘しているし、

> In a period when first Christian socialism and later the Fabian movement had a widespread effect, these writers instilled a utopian spirit into the fairy-tale discourse that endowed the genre with a vigorous and unique quality of social criticism which was to be developed even further by later writers of faerie works such as A. A. Milne, J. R. R. Tolkien, C. S. Lewis, and T.H. White. (Zipes xxv)

そもそも、Lewisとクリスチャン・ソーシャリズムの結びつきについては、Lewisの、一連の*The Chronicles of Narnia*（『ナルニア国物語』）に示されているように、Lewisとその本にとってのキリスト教の重要性が、この関係を、裏書きし、物語っているのは、ある意味、自明のことであろう。

ここでは、特に注目するのは、この点ではなくて、それは、Tony Blairとの関係である。Blairとクリスチャン・ソーシャリズムのそれについては、【図２】にもあるように、Alan Wilkinsonの本がある。この表紙において端的に示されているように、Blairが、ヴィクトリア女王の時代の半ばに始まったクリスチャン・ソーシャリズム運動、その中心的な人物の一人の、Scott Hollandの系譜に属することがわかる。Blairとクリスチャン・ソーシャリズムの結びつきという観点を導入することで、Blairから

【図 2】Front Cover from Wilkinson.

（LewisおよびTolkienを経由し）Hollandへと逆照射し、と同時に、ニュー・レイバーはそうだが、それになる前の労働党ならびにその前身のフェビアン協会の駄目さが、わかるのではないだろうか。というのも、労働党もファビアン協会もリベラリズムのうえに成立していて、決してリベラリズムを批判してはいないのだし、具体的に言えば、たとえば、ファビアン協会は、ニュー・リベラリズムの産物として、存在しているのであり、逆に言えば、ニュー・リベラリズムがファビアン協会の出現を可能たらしめているのであるから。特に、ここにおいては、ネオ・リベラリズムのブレア（政権）とニュー・リベラリズムのフェビアン協会とのあいだに、インクリングズのLewisが位置していることが非常に重要であるし、そして、そのことは、遡って、それらのおおもとの、クリスチャン・ソーシャリズムとは、詰まるところ、リベラリズムの隠蔽を行うと同時に、リベラリズムの推進に寄与するという、そのためにこそ、存在し且つ価値があった、いや、今もある、ということなのだろう。

4.「モダニズム」とMarina Mackay

ここで、本論の最初でふれた、Marina Mackayのことに戻ってみることにしよう。繰り返しの確認にはなるが、Mackayが*Modernism and World War II*において試みたことの一つには、Martin Greenの*Children of the Sun*という本を「アンクリティカル・ノスタルジア」と批評したことにある。このMackayの意図を、ここまでの考察、特にGreenとの関連性をふまえて、考えてみると、それは、端的に言えば、「リアリズム」の否定ということにあるだろう。逆に言えば、「モダニズム」の（再）評価ということでも、良いのかもしれない。Greenは、ある意味、大きな枠組みでとらえると、「リアリスト」で、それは、先ほど述べたように、「インクリングズ」の文化を否定していたことに示されているし、また、この*Children of the Sun*とほぼ同じ時期に「冒険小説」の系譜について考察している本を世に出していることからも、わかることだろう。

これに対して、Mackayは、すでに多くの方に知られているように、それまでの、そのあとも含めて、Mackayの研究内容および経歴からしても、文学研究としての「モダニズム」の重要性を、少しも疑ってはいない。Mackayの示す「モダニズム」文学研究は、その一つ前の世代の、具体的には、冷戦期に制度化されたとされる、非政治性という政治性に重きを置いた、ある意味では、昔ながらのクラシックな「モダニズム」文学研究とは、一見すると異なるように感じられるが、実のところ、非常に巧妙に上手に、この真正な「英文学研究」としての「モダニズム」を、延命させている。それは、端的には、たとえば、ピンと来る方にはすぐにわかるように、このMackayの本の表紙にも表れていることだろう【図3】。別の言い方で言えば、The Modernismの作家（WoolfやEliotやJoyceなど）のテクストではなくて、ちょっとずらして、たとえばElizabeth Bowenのを扱うという、そのような姿勢に表れているだろうし、（ちなみに、このBowenの例は、Mackayの別の本で、Mackayの編集による*The Cambridge Companion to the Literature of World War II*のなかにあり、）それはまた、たとえばGeorge Orwellのテクストを編集していることにも表れていて、でも、というの

【図3】Front Cover from Mackay.

か、と同時に、そのBowenを、おそらくOrwellも同じだと思うんだけど、Woolfなどの系譜に属する作家である、というような雰囲気、今だと情動が良いかしら、そのような感じを匂わし示すという点に、Mackayのすごさがあるのだろう。このことを、現代の問題と事象に引きつけて、言い換えれば、それは、Mackayが、Tony Blairの「第三の道」というラインと同じだ、ということで、これも非常に重要な点になるであろう。それは、Mackayが、*Modernism and World War II* において、たとえば、右の、Margaret Thatcherを否定し、同時に、左の、Paul Gilroyを否定し、それによって、自身が中道であるのを示す、ということに表れている。

本論／わたしにとって非常に興味深いのは、Mackayが、「英文学」研究 =「モダニズム」研究 =「リベラリズム」の推進、という関係性でこれら三点をとらえていて、且つ、この関係性を「正しい」ととらえている点にある。もう少しだけ補足すると、Mackayは、真正な「英文学」研究の探究は「モダニズム」文学研究のそれにこそあり、そして、それは「リベラリズム」の推進とセットであるということを、重重に承知していて、でも、あえて、そのことにはふれずに、その関係性を不可視化させ続けることで、この一昔前からの関係性、その正当性を、今一度強固なものにしようとしているのだろうと。そして、そこには、Mackayの意図・思惑が、すなわち、米国ではなく英国のリベラリズムこそがこの今のグローバルの時代においては重要で「正しい」ものなのだということが、存在しているのだろうとも。もしこのようにとらえるならば、Mackayの文学研究は、表立ちはしないが、非常に政治的なものであることがわかるであろう。

Mackayは現在オックスフォード大学の教員ということも視野に入れて、先ほど確認した、MackayによるGreenの本の否定の意味を考えてみると、Mackayは、ケンブリッジ大学の「英文学」（研究）とその系譜をも否定している気がしてならないし、他方、Mackayが、今はオックスフォード大学の教員であること、それ自体を考えてみても、なかなかのやり手の感じがして、それはそれで、わたしにしては、ある意味非常に楽しいし、面白いんだが、そのMackayの今のポジションのことは一先ずおいておいて、それよりも、われわれは、このMackayの本とその考察と意義を、Mackayのことばを使うなら“uncritical”にそして“nostalgia”に、のほほんと、何の疑いもせずに、そのまま「正しい」として鵜呑みにしても良いのであろうか。そうではないような気が、わたしには、するのだ。というのも、何を極端なことを言っているんだと思われる方も居るかもしれないが、居ないことを望むんですけど、Mackayの文学研究を「正しい」ととらえることが、詰まるところ、リベラリズムを推し進め、そして、それは、たとえば自助努力／自己責任／格差の、社会なき「社会」すなわち文化が形成されることに繋がっているのではないかと、わたしには、思われるからなのである。

でも、しかし、というのか、実際の、現実のレベルでは、たとえば、Natasha Periyanの*The Politics of 1930s British Literature*という本があるし、ちなみに、この本は、Greenの本の使い方も、Mackayと同じような感じだし、それよりも、2021年度の、日本の、ある大きな英文の学会、その本部・本店での、20世紀のシンポジウムは、このMackayの本（*Modernism and World War II*）ではないけれども、Mackayの別の本の一部を手始めにして、そのシンポジウムを開始していたようであるし、で、おそらく、その一部を「正しい」と評価していたのだろうと思われ、それって、どうなんだろうかと。(すみません、わたし、そのシンポを聞いていないので、実のところ、詳しくは知らないんだけど。)

というか、ただ、逆に言えば、今、「モダニズム」文学研究をするなら、Mackayの本は必ず参照しないといけない本だと思うし、特に、今の、イギリスの「モダニズム」とその文学研究は、ある意味、Mackayを中心に動いていると言っても良いので、そのMackayの本を、今の日本の「英文学」の研究制度においても、きちんと、フォローしているんだよ、とすれば、それはとてもすばらしいことだ、 と言うことはできるだろう。(なんだけど . . . 。)

この例にかぎらず、極端なことを言えば、これまでの日本における英米文学研究とその制度とは、①英米の文学作品ならびに文学研究者の本を、誰よりもいち早く、「輸入」、「翻訳」、「紹介」し、そして、②とりわけ、1990年代から(2000年の)00年代にかけては、その背後にある政治的な意味合いを考え探ることもなく、それらの研究者と同レベルであることに精進・邁進する、と同時に、彼ら/彼女らに承認されることにいそしみ、さらには、同等に交流する・できるということに価値を置き、③それまでの日本の英米文学研究における、受容やコンテクストなどを知ろうともせず、まるで無かったことのようにして、英米の研究者の仕事だけをある意味正典のようにあがめる、というものであった、いや、今もそうであると、一先ずは、まとめることができるだろう。だとすると、このようなことは、はたして、日本の、日本に居る英米文学の研究者にとって、特に今の時代において、正に「良い」こと、実に「正しい」ことなのであろうか。このような問題を一度はきちんと考えてみるということ、そのことのきっかけの一つとして、Mackayのこの本は、「ブライト・ヤング・ピープル」に言及していることも含めて、非常に有益な本であると、とらえてみても、それはそれで良いはずだし、きっと正しいことだろうと、本論/わたしは、今、強く感じる、感じているのである。

5. みんな、リベラル／リベラリズムがお好き？——英文学研究と「ブライト・ヤング・ピープル」

以上のように、本論は、「ブライト・ヤング・ピープル」の影・亡霊あるいは残滓に着目しながら、1930年代（さらには50年代・Mid-centuryおよび「インクリングズ」の系譜をも視野に入れて）英国の社会／文化を見ることが、逆照射的に、今の、グローバル化の時代の、社会的／文化的な事象を見ることに繋がっているということを確認した。言い換えると、現代における、たとえば、大衆化や多様性･アイデンティティの「正しさ」という認識の仕方が、なぜ、どのように、構築されたのか、ということを、30年代を通して、批判的に、考えることに、その目的があった、ということになる。端的に言えば、「ブライト・ヤング・ピープル」とその文化という歴史的事象を浮かび上がらせることによって、「モダニズム」英文学研究を再度盛り上げるということでは決してなくて、むしろ、逆で、英文学研究としての「モダニズム」、それを批判的にとらえなおす、ということにある。[4]

最後に、本論、その全体の意図について、もう少しだけ述べておきたい。わたしの、この論考の真意、それは、もちろん、Mackayの仕事の意味を批判的に考えるということもあるんだが、でも、今回のMackayは、あくまで、事例の一つで、Mackayに限らず、英米の文学研究の仕事をある意味無批判に受け入れてしまうという、そのことの意味を、今こそ、いや、今だからこそ、考えてみても良いだろうということにあるし、[5]それよりも、現在のアメリカとイギリスを中心とするグローバルの時代におけるリベラリズムより正確には（17世紀以来の）「モダニティ（modernity）」の問題と意義というものを、きちんと、批判的に考える、ということにある。

最後の最後に、二点ほど、言っておくことにする。まずは、①別に、わたし、誰それの研究者を名指しして、で、そのひとたちを批判しているのでは決してなくて（そのようにとらえられているのかもしれないけど、そのようにとらえられても良いんだけど、だとしても特段気にしないし）、というか、わたし的には「言説を憎んで、ひとを憎まず」というスタンスで文学研究をしているということ。そして、②いまもって、リベラリズムを疑わないのであれば（リベラリズムのうえで戯れているのであれば）、すなわち、リベラリズムが「正しい」ととらえているのであれば、わたしにとって、「英文学」とその「研究」は、もう、終わって／死んでいる。

Notes

[1] この「ブライト・ヤング・ピープル」については、今の日本たとえば白水社のウェブ・ページにおいて、新井によって、はじめは記事というかたちで「紹介」され、それはのちに書籍化されてもいる。

[2] ちなみに、Greenの示す「インクリングズ」の駄目さ、その先頭に位置しているのが、G. K. Chestertonで、そのChestertonの本、*The Napoleon of Notting Hill*を、共訳というかたちではあるが、高橋康也が、「翻訳」している（いや、より正確に言えば、「翻訳」してしまっている）のは、非常に興味深い点であるだろう。それを言えば、「ハリー・ポッター」シリーズのJ. K. Rowlingも、オックスフォード大学に入れずに、おそらく何糞と思っているはずだが、オックスフォードの「インクリングズ」（特にRowlingの場合は、それは、Tolkienにはなるが）この系譜に属する作家であるだろうし、これもまた、重要な点であることは間違いないであろう。さらに言えば、Tolkienと「インクリングズ」に関しては、（一応その内容のない「内容」の確認も含めて）川端を参照しておいても良いのかもしれない。

[3] 文化的に、「田舎」が重要である／今もあり続けているというのは、現在の、批評のレベルにおいても同様で、それは、たとえば、Alexandra Harrisの*Romantic Moderns*に（今回の場合であれば“uncritical nostalgia”というかたちで）表れていることになるであろう。

[4] 21世紀に生きるわれわれから観ると、確かに、「ブライト・ヤング・ピープル」は、大衆化あるいはモダニティを推し進めたという点は否めないが、それだけではなく、と同時に、コインの裏表の関係のように、特にその中心的で超別格的なthe Prince of Wales / Edward VIIIは、①未完で（不）可能な「ユートピア」性、②未だ見ぬ「共産主義」的な社会の実現の（不）可能性、とい

うこれら二つの観点と密接に関係していて、そして、それゆえに、その彼／「神」の振る舞いと行動を、それらの徴候あるいは症候として、理解すべき、いや、したいと、何処かでわたしは思ってもいる。

[5] この点に関しては、「ヒューマニズム」を例にして、もう少し（と言いつつ、長くなるけど）、述べておきたい。今後の「英文学研究」においても、「ヒューマニズム」に重きを置く／は重要だという姿勢で、いくなら、いくで、良いけど、「リベラル」が不可視化されているということを、すなわち、「（リベラル）ヒューマニズム」となっていることを、きちんと、理解しないと、わたし的には、お話にならないという。それと、「ヒューマニズム」に賭けるなら、賭けるで、繰り返しだけど、不可視化されている「リベラル」という点を、ちゃんと、批判、否定して、で、たとえば、"social / communist"にするというように、つまり、"'social / communist' humanism"として、新たに"humanism"をとらえようとするなら、話は別だけど、そうじゃないなら、これも、繰り返すけど、わたし的には、意味がないという。

たとえば、Edward W. Saidが、ヒューマニズムに重きを置いているのは、不可視化されているリベラルを消して、新たに、ある意味、ソーシャルまたはコミュニスト（あるいは／すなわちアンチ・リベラル）のヒューマニズムを打ち出した点にこそ、Saidのヒューマニズムの意味があるんだと。これは、新しい方のソーシャル／コミュニスト、これを不可視化されているリベラルと同様に、不可視化させている点、ここも重要なんだと。で、これがわかっていないのに、（Saidの）ヒューマニズムを、（再）評価する、それでは、だめだと、わたし的には。（ついでじゃないけど、Saidの批評の、実のところの、ポイントは、米国において、マルクス主義と／を言わずに、マルクス主義を行なっていた点にこそあり、この点が非常に重要であると、わたしはとらえているので。）というのも、Saidは、*Culture and Imperialism*で、Lionel Trillingの、（リベラルな）「文学研究」＝「モダニズム」＝「リベラル・イマジネーション」（正確には、「フォースター論」だけど）を批判したのだし、で、*Representations of the Intellectual*において、「教養」ではなくて「知識」の重要性を言ったのだし。「知識」が「教養（liberal arts / culture）」に翻訳、置換され、そして、重要視されたんだ、されてきたんだと。で、「知識」というのは、端的に言えば、リベラリズムではなくて「マルクス主義」と結びついているのだし（逆に言えば、「教養」は「リベラリズム」と結びついているでも良いけど）。それなのに、相変わらずと言うのか、(Trillingがしたように)「知識」を「教養」に直して、で、「赤」(と「左」)を消して、そんでもって、「リベラリズム」に結びつけて、それを「正しい」として推し進めて、どうするんだと。(このあたりのことも、きちんと、理解していないと、ダメなんだけど、でも、それって、無理だよなぁ。だって、みんな、リベラル/リベラリズムが、「良い」し、「正しい」ことと、思っているので。ついでにいえば、そのような人たちは、(普遍的な学、あるいは、学がある、としての)「教養」があることが、「正しい」と、頭が「良い」ことだと、思っているし。)

同様の意味じゃないけど、このSaidの新たなヒューマニズムの意味づけ、これを、さらに、たとえば、Gayatri C. Spivakの言う"planetarity"/"planetary thought / thinking"(惑星(的)思考)、それとの関連で言う、というだけでは、それも、実のところ、わたしが言っている、「輸入」、「翻訳」、「紹介」ということにすぎず、まったく、わたしには響かない。Saidだけじゃなくて Spivakも同様のことを言っていますよ、ヒューマニズムは重要なんですよ、って言ってるだけでは意味がない。それだけなら、(ある種、SaidやSpivak、その当人たちに言わせておけばいいので、)別に代理して言う必要性はないだろうと。で、その行為・代理こそが、繰り返しだけど、輸入・翻訳・紹介のリベラリズムのうえで、やられている/やらされているということになっているだろうと。昔ながらの「文学研究」であれば、きちんと、英米の批評家・文学研究者の本を勉強しているんだよと、知っているんですよと、言えば良いんだろうけれど。それでは、ダメでしょと。言い直せば、Saidの、(で、Spivakは、実のところ、わたし的には、微妙なんだけど)「ヒューマニズム」批判を、Saidの意図を消してしまって、で、再度、リベラリズムに回収してしまっては、ダメで、本末転倒でしょと。でも、みんな、そうなんだよな。というのも、みなさん、リベラル/リベラリズムが、たいへん、お好きなようなので。(一例じゃないけど、そう考えると、今思えば、たとえば、いわゆる「イェール学派(The Yale school)」も、そうだったし。Paul de Manとその仕事は、彼ら/彼女ら(Harold BloomやJ. Hillis Miller、そして、Barbara JohnsonおよびShoshana Felman、など)に、見事に、「(リベラル)ヒューマニズム」に回収された、されてしまったんだと。でもって、それを「正しい」として、我先にと、挙って、受容したんだと。で、今でも(同じようなことを)しているんだけど。それって、ほんと....。)

ちなみに、「知識」と「教養」の分離という問題も、もとをたどれば、1930年代に、行き着く、遡ることになる、という点は、非常に重要である。言い換えると、これは、「移行論争」をふまえて、考えるべきことでもあるということであり、要は、マルクス主義を否定し、反共の精神すなわちリベラリズムの肯定と密接な関係にあるということになる。より正確に言えば、「知識」を「教養」に置換し、それによって、マルクス主義者／マルクス主義を抹消し、リベラリスト／リベラリズムこそが（「近代」において／「近代」以降）唯一の正しい生き方であるということであり、それは現在も引き続き行われている。そして、この布置、流れのなかに、われわれは、今も居るし、それは、たとえば、大学の学部としての／における、「知識」ではなくて「教養（Liberal Arts）」の存在に、および／あるいは、「文学」研究から「文化」研究への転換、延命に、かたち・すがたとして／かたち・すがたを変えながら、表れている。「移行論争」については、たとえば、Paul Sweezy他の *The Transition from Feudalism to Capitalism*（特に、その、Eric Hobsbawmの章）を参照のこと。「英文学研究」と「教養」（さらには「ヒューマニズム」）との密接で濃密な「正しい」関係については、（特に、おそらく、その「小説」を事例にして、）またあらためて、さらに具体的に、論じることにしたい。

Works Cited

Green, Martin. *Children of the Sun: A Narrative of "Decadence" in England after 1918*. Basic Books, 1976.

Harris, Alexandra. *Romantic Moderns: English Writers, Artists and the Imagination from Virginia Woolf to John Piper*. Thames and Hudson, 2010.

Mackay, Marina, ed. *The Cambridge Companion to the Literature of World War II*. Cambridge UP, 2009.

Mackay, Marina. *Modernism and World War II*. Cambridge UP, 2007.

Orwell, George. *Coming Up for Air*. Ed. Marina Mackay. Oxford UP, 2021.

Periyan, Natasha. *The Politics of 1930s British Literature: Education, Class, Gender.* Bloomsbury Academic, 2018.

Sweezy, Paul, et al. *The Transition from Feudalism to Capitalism*. Verso, 1978.

Taylor, D. J. *Bright Young People: The Rise and Fall of a Generation, 1918-1940*. Chatto

and Windus, 2007.
Wilkinson, Alan. *Christian Socialism: Scott Holland to Tony Blair*. SCM Press, 1998.
Williams, Raymond. *The Country and the City*. Oxford UP, 1973.
Zipes, Jack. "Introduction." *Victorian Fairy Tales: The Revolt of the Fairies and Elves*. Ed. Jack Zipes. Methuen, 1987. xiii-xxix.
新井潤美『ノブレス・オブリージュ――イギリスの上流階級』白水社，2022年。
川端康雄「「インクリングズ」の集い」『愛と戦いのイギリス文化史――1951-2010年』川端康雄他編、慶應義塾大学出版会、2011年、138-139頁。
G・K・チェスタトン『新ナポレオン奇譚』高橋康也・成田久美子訳、春秋社、1978年。

インターメッツォ

「英文学」と「モダニズム」
——オックスフォードと「英国の、あるいは、英国による」リベラリズム

髙田 英和

Marina Mackay の *Modernism and World War II* には、「英文学」の研究における、「モダニズム」の優位、重要性、ならびに、オックスフォードのそれが、「英国の／による」リベラリズムの推進と、密接に、相互に関連している、ということが示されている。そのことは、たとえば、この本の、第五章に、端的に、述べられている。

> Waugh and Green's shared milieu of 1920s Oxford has often been discussed, and this group of very young men – most famous among them Waugh, Green, Harold Acton, Brian Howard and Anthony Powell – tend be described in semi-mythic terms. What Waugh began in *Brideshead Revisited* was later pursued in <u>Martin Green</u>'s *Children of the Sun* and <u>Humphrey Carpenter</u>'s *The Brideshead Generation*, and this reverence for a group of virtual schoolboys, however, talented, runs uncomfortably close to an uncritical nostalgia for the orgy of whimsy that the privileged world of the boys' private club made possible; in many respects this group embodies interwar England's intersections of economic and cultural privilege. Still, I think <u>Valentine Cunningham</u> was too quick to summarise the versions of the 1930s against which he was writing as a choice between 'the Auden generation' and the Brideshead story of the Eton-and Oxford aesthetes. (Mackay 120，下線は引用者、以下同様)

そこでは、Mackayが、Martin Green（とそのケンブリッジの英文学（研

究))、と同時に、Humphrey CarpenterとValentine Cunninghamという、Mackayの世代の／から、一つ前の世代の、研究者とその本、すなわち、オックスフォードの、英文学の、在野（ノン・アカデミック）の研究者と、アカデミックの研究者を、批判している点は、非常に重要であるだろう。その際の、一つのポイントは、Green、Carpenter、Cunninghamの三人は、リアリズムに重きを置いているという点にある。この、「英文学」研究における、リアリズム（の意義）という点を、Mackayは、否定している。

Carpenterに関しては、もう少し言うと、彼が「「児童文学」の黄金時代」を提示したことも、そして、それが、同時に、オックスフォードが、「アリス」を起点とする、ファンタジー／児童文学の名産地として、機能しているという点も、押さえておきたい。というのも、この点もまた、Mackayの、この本は、否定しているのであるから。この点を踏まえれば、CarpenterがTolkienおよびLewisの「伝記」を書いていることを、Mackayが批判していることも、おのずと、わかろう。言い換えると、Mackayが、Carpenterの本を取り上げ批判するときの、そのポイントは、リアリズムの拒否・否定と同時に、実のところ、1850年の「(ファンタジー）児童文学の黄金期」の始祖の「アリス」から1950年の「インクリングズ」のTolkienとLewisに至る、オックスフォードを中心とする、英文学の流れ、すなわち、児童文学とファンタジー、その系譜を、消し去りたいという点にこそ、あるのだろう。

それだけでなく、この「英文学」研究におけるリアリズム（の意義)、その代わりとして、このMackayの本の、第五章の、章のタイトル、“Evelyn Waugh and the Ends of Minority Culture”に、端的に表れているように、Evelyn Waughのオックスフォードの／とモダニズムを称賛し、それに対して、「マイノリティ・カルチャー」のF. R. Leavisのケンブリッジの英文学（研究）と、そのモダニズムを否定しているということもまた、非常に重要であるし、押さえておきたい点であるだろう。(そう考えると、この第五章のタイトル、その後半部分、“the Ends of Minority Culture”には、キャノンとしての／ある種Woolfを中心とする、「ブルームズベリー・グループ」も、根底のところでは、「ケンブリッジ学派」という括りでとらえている、と理解すべきであろう。）というのも、これらによって、Mackayが示したいのが、オックスフォードの「英文学（研究）」とその中心としての「モダニズム」の重要性であり、そして、それと同時に、それを先導するのは、リベラルなわたし・Mackayよ、ということになるのだろう。

Mackayが、擁護し、絶対視する、「英文学（研究）」（それは、ある意味、制度化された「英文学」である）における「モダニズム」の重要性は、その「モダニズム」が、概して、たとえば（米国のリベラルな英文学研究者の）Jed Esty の *A Shrinking Island* が提示したように、1930年代に、転回し、そして、衰退し、終焉に向かった／終わった、ととらえられているのを、否定し、それに対して、実のところ、ある種、不可視化された状態で、綿々と、生き続けている、あるいは、延命しているということを、（オックスフォードの）Waughの作品を通して、より正確に言えば、Waughの作品に、この「モダニズム」は、依然として存在している、サヴァイヴしている、としている点にこそあるのだ。Mackayは、（先ほどのブロックの引用の少し前で、）次のように、言っている。

> This moment in the spring of 1941 is an important one because it posits different possibilities for the story of how modernism ended: what ultimately became the conventional narrative of generational change [...] versus the mainstreaming of modernism [...]. Evelyn Waugh offers a third account of what happened [...]. (Mackay 120)

逆に言えば、Estyが、英国の30年代の縮小の物語を、その部分・点を、強調した、その理由は、アメリカのリベラリズムこそが、20世紀ならびに21世紀において、英国のそれよりも、重要であるのだ、ということを示すために、そのためにこそ、存在しているのが、ポイントとなるはずである。より端的に、言い直せば、Estyがこのような物語を示したのは、要は、20世紀に入ってイギリスは衰退していたのだ、ということを示すことで、アメリカの優位を、言わずに、示す、ということ、そこにこそ、意義がある。繰り返すが、Mackayのポイントは、「オックスフォード」が「英文学」(とその「研究」) の中心地であり、その英文学は「モダニズム」でなければならない、という点にある。なので、これと関連して、と同時に、必然的に、英文学研究／モダニズム研究の中心は、アメリカではないはずであるから、ある種、そのアメリカ代表としての、Estyを批判しているのである。(決してこのようには明示はしないけれども。)

以上の点を、考慮に入れて、踏まえて、このMackayの本の意義をまとめて述べてみると、要は、Mackayが言っているのは、20世紀も (21世紀もそうだが)、「英文学」の中心は、米国ではなくて、「英国」にあり、それは、詰まるところ、世界の覇権は (「近代」以降) 依然として、英国が握っているのであり、それを維持、可能としているのが、英国のリベラリズムであるのだ、ということになるだろう。そして、このことが、特に、政治、経済のレベルではなく、「文化」のレベル、「英文学」という想像のレベルで、行われている、いや、行なっているということが、非常に重要である、と同時に、非常に巧妙になされているということを、われわれは、見落としてはならないだろう。(しかし、言うまでもないことだが、この、政治・経済のことは、実のところ、文学のこととは切れている、文学のことと違う分野、レベルの話である、ということでは決してない、ということを、一応、ここで、確認しておいても良いだろう。) そう、つまりは、Mackayの、「英国の／による」、オックスフォードを中心とした「英文学」研究と、そこにおける「モダニズム」の重要性は、リベラリズムを推し進め、そのうえでこそ、可能となっている。

Works Cited

Mackay, Marina. *Modernism and World War II.* Cambridge UP, 2007.

第2部

Conservative Modernity and the Expanding Empire of Liberalism

保守的モダニティと拡張するリベラリズムの帝国

第4章

20世紀の世界において保守主義に籠ったリベラルな英国文化？——A・P・ハーバートの「ヒウマーの特性」と喜歌劇『タンティヴィ荘』

大谷 伴子

1．20世紀にはいると自由主義（リベラリズム）の雑誌『パンチ』誌は「保守化」したのか？——大衆化時代のモダニティ

21世紀現在においても英国の代表的なユーモア作家として認識されているP･G･ウッドハウスが、その影響を受け高く評価したのが、実は、A・P・ハーバートであった、ロンドン中にA・P・ハーバートのユーモアが存在するべきだと述べながら（Wodehouse 99）。だが、21世紀現在、ハーバートの名前もそのテクスト、たとえば、その喜歌劇などが再演されたということを耳にすることは、ほとんどないといってよい。だが、日本英文学会の初代会長であった福原麟太郎は、英文学の特質に関するさまざまな論考において、ハーバートを評価していたこと、このことから本章の議論を始めてみようと思う。福原によるハーバートの評価は、すぐ後で論じるようになによりも英文学の特質としての「諷刺とヒウマー」にかかわるものであるのだが、大道千穂が『あるびよん——英文化綜合誌』から戦間期英国のモダニズムと戦後日本の英文学を再考する論考でもすでに述べているように、19世紀英国メディアに登場した『パンチ』誌にもかかわるものだった。日本人に欠けている批評精神と笑いの余裕という二つの精神を歴史の中で培ってきた英国の週刊諷刺漫画雑誌『パンチ』はヴィクトリア朝初期の1841年ヘンリー・メイヒュー、マーク・レモン等によって創刊され、「抑圧されし人々の擁護者」にして「すべての権威

に対する革命的な懲罰者」としてユーモアと政治的コメントを組み合わせた自由主義の雑誌として出発した（大道 86-87)。

> ところがパンチ誌は、ポンチゑばかりのものではなかつた。凡そ一八六〇年の頃、詳しく言へば一八五七年、編集者ダグラス・ヂェロルドの死が、重要な境目なのだが、それまでのパンチ誌は、急進的な、いまでいへば左翼の思想を代辯してゐた。ヂェロルドがその強い力の中心であつた。明治維新の頃は、もうそのあとヂェロルドの死後だから、轉向して中産階級の生活や思想を代表する雑誌になつてゐた。（福原「ポンチゑ」53）

このように、19世紀中葉の『パンチ』誌はひと言でいえば英国リベラリズムの伝統に位置づけられているのだが、第二次世界大戦後の1949年の日本の状況と比較しながら、福原は「急進的な、いまでいへば左翼の思想を代辯してゐた」と、まずは、説明してみせる。この説明には、ひょっとしたら、ひそかに次のような論点が提示されていたのではないか。『アール・デコと英国モダニズム——20世紀文化空間のリ・デザイン』ですでに議論されたこともある「大衆ユートピアの夢」を、ソ連の共産主義やアメリカの消費文化とは別のかたちで、英国における可能性を実のところ提示したのが、『パンチ』誌に掲載されたゴドウィン的公正の論調やさらにはA・P・ハーバートの喜歌劇だった、というような。もっとも、1860年頃すなわち日本でいえば明治維新の時期に、『パンチ』誌のリベラリズムは、「中産階級の生活や思想を代表する雑誌」に「轉向」した、とされるのではあるが。

ハーバートと英文学の特質としての「諷刺とヒウマー」についてはどうか、大田信良がオクスフォード英文学とF・R・リーヴィスの退場の歴史的過程をグローバル冷戦においてたどる議論において示した簡潔なまとめにしたがって、再確認してみよう。19世紀の英国リベラリズムを具現する『パンチ』誌からサヴォイ・オペラまでのきわめて「英国的な」ユーモアを取り上げ、「英國に於ては笑をすべて我國に於ける如くヒウモアとは言はない」、「人間的情緒の發現を刺戟する笑をさう呼んでゐる」のであり、「個性の中の普遍的な人間愛を反省せしめようとしてゐる」ところにユーモアの価値・意味つまりイングリッシュネスが見出せる(福原「英文學」227-28) と、福原は論じた。そして、「多くは社會的に變革改新」が勃興的にあらわれるときに予兆的に生まれやすい「諷刺」とは部分的に重なり合い共存・混合するとはいえ明確に区別されるべきユーモアは、「社會が安定をもつてゐる時代に朗らかに現はれる」(福原「英文學」238)。「社會が安定をもつてゐる時代に朗らかに現はれる」ユーモアの最たる例は、東インド会社の社員でもあったチャールズ・ラムの文学すなわちその随筆テクストによる18世紀の「道徳的感傷的」傾向を完全にふるい落とした「純粋な無目的な人間愛の源泉にまで」に掘り下げたのがそれで、そののちには、「再び道徳的傾向を持つに至つた」「中期ヴィクトリア朝の笑」になった、という(福原「英文學」248-49)。また、すでに言及した『パンチ』誌またはヴィクトリア朝末期に栄えたいわゆるサヴォイ・オペラとして知られるギルバート・サリヴァン喜歌劇(Gilbert and Sullivan Operas)は、ヒウモアを主とし諷刺を副とした英国独特の産物であり、オスカー・ワイルドの唯美主義運動を標的にして最も諷刺的に激しい『ペイシェンス』の場合とは差異化される。世紀末になって宗教と科学との板挟みになった、つまり、大英帝国の保守的な伝統の重みが自由な発展を妨げ社会機構の疲弊が民心を憂鬱にしたときに大英帝国の破綻を防いでくれるような逃げ道のひとつになったのがギルバート・サリヴァン喜歌劇の諷刺であった、とチェスタトンの解釈を引きながら、述べられている(福原「英文學」251-52)

> 今日の世界に於てこの自由主義の雑誌もどうやら保守主義に籠ってヴィクトリア朝中産階級の思想が政治的伝統の守護者となっているようであるが、その上品なヒウモアはどこまでも、英国的ヒウモアであって、今日この雑誌に拠っていた人達、ミルン(A. A. Milne)、ノックス(E. V. Knox)、ハーバート(A. P. Herbert)などは、正しくその代表者であるといへよう。(福原「英文學」250-51 下線筆者)

どこまでも英国的な上品なユーモアをその特質とする『パンチ』誌が20世紀の世界に提示する保守主義はリベラルな英国文化の新たな姿にほかならず、このような形式をとって姿をあらわす英国リベラリズムを文学・演劇において端的に代表するひとりとみなすべき存在こそ、「殊に我國に於て忘れられてゐる」『パンチ誌』のリベラルな伝統（福原「英文學」257）をモダニティが大衆化された時代に新たなやり方で継承・イノヴェーションしてみせたA・P・ハーバートにほかならない、ということになる。とするなら、ハーバートの『タンティヴィ荘（*Tantivy Towers*）』とそのいくつかのサブテクストをローカルおよびグローバルな空間移動の可能性も視野におさめたうえで立体的に読んでみることにより、ブライト・ヤング・ピープルの文化を、伝統的でリベラルな「ヒウマーの特性」と合わせ鏡にして、とらえ直してみることもできるかもしれない、モダニティという問題機制において[1]。その際には、「保守主義に籠っ」たという福原の物言いあるいはレトリックを、そのまま表面的な文字面だけ読んでわかったつもりになるのではなく、20世紀の歴史的政治文化の空間において読み取る必要があることに、ちょっと、注意しておこう。A・P・ハーバートに継承されたとされるきわめて英国的なユーモアは、20世紀の第一次世界大戦を経験した戦間期に19世紀英国のリベラリズムの伝統が「奇妙な死」を経験して保守化したことを示すだけではないのかもしれない。むしろ、自由貿易・自由主義を謳う大英帝国とそのリベラルな英国文化は、ひそかに延命・存続したのであり、拡張・拡散したとさえいえる、のではないか。ハーバートの喜歌劇『タンティヴィ荘』がその飛び地・エンクレーヴとしての部分を構成するブライト・ヤング・ピープルとは、英国上流階級の若者文化の煌びやかで華麗なるイメージを纏いつつも多様性に満ちた階級横断的な「衝動の共同体（a community of impulse）」（Balfour 166）として、言い換えれば、政治的・経済的レヴェルとは分離・切断されたあくまで文化的なライフスタイルとして、リベラル・イングランドという帝国の存続を指し示す記号だった可能性、これが、以下で本論が探ってみたいことだ。

2. A・P・ハーバートと保守的モダニティ（conservative modernity）のリ・デザインいろいろ

保守主義という形式で大衆化するモダニティに対応したリベラリズムを代表するA・P・ハーバートと、アリソン・ライトのいう保守的モダニティ（conservative modernity）はどのように関連付けられるだろうか。アリソン・ライトの保守的モダニティによる戦間期英国の政治文化解釈は、周知のように、そもそもネオリベラリズムとネオコンサーヴァティズムが対立・矛盾をはらみながら21世紀に向けたグローバル化に対応する保守化を推進したともみなせるサッチャリズムを、歴史的に、ジェンダーやドメスティシティを主題化しながら、批判的吟味する左翼のリ・デザインを試みたものだった。たとえば、松永典子は、ライトを先行研究とするNicola Humble, *The Feminine Middlebrow Novel 1920s to 1950s: Class, Domesticity, and Bohemianism*. Oxford UP, 2001を批判的に言及しながら、以下のように説明している。[2]

> ミドルブラウ文学を含むポピュラー・カルチャーが歴史的に形成された戦間期英国における「保守主義」の傾向を、決定的なやり方で取り上げ、批判的検討の対象としたのは、Raphael Samuelが三部連作で発表した“Middle Class between the Wars”であった。「保守的モダニティ」という戦間期英国のポピュラー・カルチャーにかかわる女たちと階級再編との逆説的な関係性を論じた、前述のLightの仕事は、彼女のパートナーでもあったSamuelとの協働作業の過程において産み出されたものであったし、Humbleが戦間期英国のフェミニン・ミドルブラウ文学における「より急進的」な要素を強調することにより自らの研究の独自性を担保しようとするときに、その前提となる見取り図や解釈を提示した先行研究として依拠していたのも、実は、Samuelがおこなった「戦間期の中産階級」にみられた保守性に対す

る細やかで注意深い指摘にほかならなかった。

実際、主として男性作家あるいは男たちのさまざまな階級上昇への欲望や貴族・上流階級といった支配層によるイデオロギー的取り込みを論じたものとして、Humble は Samuel のこの論文に言及し引用もしている。ただし、Samuel 自身の問題意識は、Tom Nairn の場合と同じように、地球規模でのグローバリゼーションの進行と冷戦の終焉以降の社会主義の「消滅」、とりわけ、英国における Thatcher 政権期に勃興したネオコンサーヴァティヴィズムおよびネオリベラリズムのイデオロギーに適切に対応すべく、旧来のナショナリズム論を新たに再興しようとした一連の仕事の一部である。(松永 下線筆者)

大衆化に生き残りをかけた貴族階級の対応・適応と君主・宮廷を拠点として拡散されてきたライフスタイルを俗物的に崇拝しないではいられない新興成金や新たに台頭・形成されつつあった下層中産階級等々の歴史的運動過程を、この一見不可思議かつ厄介なモダニティは指し示しているのかもしれない。それは、英国の文化空間において連綿と繰り返し再生産され続けるスノビズム、ということかもしれない。[3]

こうしたスノビズムが、ブライト・ヤング・ピープルの共同体の周縁に群がる若者、たとえば、セシル・ビートンやイーヴリン・ウォーといった「アウトサイダー」の視点でその文化をとらえた人びとの存在につながっている。ひょっとしたら、このへんにブライト・ヤング・ピープルの文化とそのダイナミズムの構造化の核心があるのかもしれない。ブライト・ヤング・ピープルの文化とA・P・ハーバートとの関係については、まずは、D·J·テイラーによるその基本文献から確認してみよう。その際、テイラーにおいて、ハーバートの名は、ガーゴイル・クラブという会員制クラブとの関係性から挙げられている、このことに注意しよう。このクラブは、ブライト・ヤング・ピープルのなかでもとりわけ綺羅星のごとくきらめいていたスティーヴン・テナントの兄デイヴィッド・テナントが始めたもので、1920年代の典型的なプライヴェートな会員制クラブと目されており、ハーバートはそのクラブの委員会のメンバーのひとりで、ジャーナリストでもある無所属の国会議員としてその名前が挙げられている——アーノルド・ベネットやクライヴ・ベルの名前と併置されながら。

> From its earliest days, the Gargoyle Club at 69 Dean Street was a quintessential Twenties institution. Brought into being for entirely frivolous reasons—its founder, David Tennant, claimed that he simply wanted somewhere to dance with his girlfriend – it also maintained a quite genuine commitment to the arts: a chic nightclub for dancing, according to the original press release, but also a daytime refuge for the avant-garde, where "still struggling writers, painters, poets and musicians will be offered the best food and wine at prices they can afford." There was, additionally, evidence of the typical Twenties hankering after artistic freedom. "Above all," Tennant declared, "it will be a place without the usual rules where people can express themselves freely." In practice, the Gargoyle combined its inherited bohemianism with a scent of glamour: Hermione Baddeley, Tennant's dancing partner, appeared in Noel Coward's *On with the Dance*, whose big number "Poor Little Rich Girl" was the hit song of 1925; the first subscription list included Somerset Maugham and members of the Guinness, Rothschild and Sitwell families; the club committee brought together Clive Bell, A. P. Herbert and Arnold Bennett – the doyen of Bloomsbury critics, a jounalising independent MP and one of the wealthiest novelists of the day. (Taylor 63-64 下線筆者)

ガーゴイル・クラブの設立目的は、どうやらテナントが「ガール・フレンドとダンスする場所が欲しい」という軽薄な理由と芸術への純粋な傾倒とがあいまったもので、夜はダンスのためのシックなナイトクラブ、昼間はアヴァン・ギャルドな芸術家の避難所のような場として売れない作家・画家・詩人・音楽家に彼らがそこそこ賄える金額で豪華な食事やワインを提供していたというが、そこには芸術の自由への渇望があきらかに存在した、のかもしれない。

ガーゴイル・クラブにおいては、また、前の世代から引き継いだボヘミアニズムと魅力的な女性――たとえば、テナントのダンスの相手でノエル・カワードのミュージカル『オン・ウィズ・ザ・ダンス（*On with the Dance*）』に出演しヒット曲を歌っていたハーマイオニ・バドリーのような――の存在とが結びついてもいた。さらに、クラブへの寄付者リストに挙げられた名前も興味をそそる。サマセット・モーム、ギネス家やロスチャイルド家とならんでシットウェル家の名が挙がっているからだ（Taylor 63-64）[4]。

また、デイヴィッドとガーゴイル・クラブについて著したマイケル・ルークによれば、ガーゴイル・クラブの客層はさまざまであったが、1930年代を間近に控えた20年代末の数年には、その内部に階級的分断・格差が表面化しつつあったのか、衰退しつつあったブライト・ヤング・ピープルからは距離をとったハイブラウ文化に傾いていった、という（Luke 72）。そうした時期に新たな客層のひとりとなったフェミニスト小説家ステラ・ベンソンがガーゴイル・クラブに向けた観察眼によれば、パリで活躍したボヘミアン画家のニーナ・ハムネットのようなタイプの客を呼び寄せたソーホーの他のクラブに比べると、このクラブはかなり高級な顧客を擁した「魅力的なクラブ」として認識されていたようだ。

> "It was a very attractive club with the clientele a good deal above the other Soho clubs of the time, like the Hambone and the Tatty Bogle which attracted types like Nina Hamnet downwards. I [the novelist *Stella Benson*] went to the Gargoyle many times over the years, and among the curious characters I used to go there with were A. P. Herbert, Aleister Crowley and Epstein."
>
> The last three were fair representatives of the Dionysian factor (diabolic in Crowley's case) as the Gargoyle moved into the thirties. (Luke 75 下線筆者)[5]

The Bohemians of Chelsea, scene from *Tantivy Towers*

A・P・ハーバート『タンティヴィ荘』表紙カヴァー、ユーモラスな狐狩

ベンソンが席を共にした興味深い客として、アレイスター・クロウリーやジェイコブ・エプスタインとならんで、ハーバートの名前も挙げられている。どうやら、彼は1930年代に入る時期のクラブにおいて飲めや歌えの大騒ぎを代表するような存在として言及されているようだが（Luke 75）、ここで言及されるハーバートが興味深いのは、ガーゴイル・クラブというブライト・ヤング・ピープルとのつながりとともに、彼の無所属議員というその政治的立場ではないだろうか。次のセクションの議論を先取りして端的にあらかじめ述べておくなら、20年代から30年代の歴史的移行の過程において、ブライト・ヤング・ピープルとたもとを分かち牧歌的田舎を舞台にした伝統的文学を執筆したジークフリード・サスーンとこのピープルのなかでも最も煌びやかな存在としてみなされたスティーヴン・テナントとの別離があったとされるが、サスーンとテナントとの分離・分断は、ガーゴイル・クラブにみられた分断への変容とともに、ブライト・ヤング・ピープルという若者文化共同体にそもそもあったと思われる政治的・経済的階級格差の問題を指し示すものである。と同時に、そうした二極化の問題を、それにもかかわらずなおも文化的に媒介し解決しようとしたのが、A・P・ハーバートの存在かもしれない。

このように、戦間期を通じて英国の階級構造を強力にそしてまた魅惑的なパワーで規定するスノビズムによって、ブライト・ヤング・ピープルは、その共同体の周縁に若者たちが群がることになり、そして、その文化は、保守的モダニティのさまざまなリ・デザインの絶えざる再生産にひらかれていた。つまりは、そうしたモダニティに特徴づけられたブライト・ヤング・ピープルは、保守党・労働党・自由党のいずれにも所

『タンティヴィ荘』裏見返しに描かれたポップなボヘミアンたち

属しない国会議員でもあったハーバートが、次にみるように彼の劇テクストが表現するユーモアとともに、提示するリベラリズムとしての新しい保守主義とも通底するものだった。[6]

3. 喜歌劇『タンティヴィ荘』のユーモアとモダニティの大衆化という歴史的可能性の条件

A・P・ハーバートのユーモアであるが、福原は「英文學に現われた諷刺とヒウモア」[7]において以下のように述べていた。

> 私はここにその『パンチ誌』のグループの代表者としてその最後のA・P・ハーバートを紹介したく思ふ。しかし、そのヒウモアはむしろ諷刺と結合してゐるものである。この結合に今日のヒウモアの特性を眺める方が適當である。A・P・ハーバートには詩集『智慧鏡』(*Wisdom for the Wise*) などもあるが、小説『水のジプシーら』(*The Water-Gipsies*) と、喜歌劇『タンティヴィ荘』(*Tantivy Towers*) とが最重要である。これらはその時代の英国のあらゆる生活相を寫し出しているもののやうに思ふ。(福原「英文學」258)

福原によれば、A・P・ハーバートの「ヒウモアはむしろ諷刺と結合してゐるもの」でありこの結合に「今日のヒウモアの特性」をとらえるのが適当であるという。そうした結合を通じて「その時代の英国のあらゆる生活相を寫し出している」ハーバートの諸テクストのなかでも小説『水のジプシーら』と喜歌劇『タンティヴィ荘』を最重要なものとみなしている(福原「英文學」258)。福原がこの二つのテクストを併置して重要性を主張するのは、大衆化の時代である20世紀あるいは戦間期英国の「あらゆる生活相」、あるいは、モダニティという歴史条件に規定された生活様式の全体性・英国の文化を、とりわけこのテクストが、表象しているからだ。

いよいよ福原が、英国リベラリズムを文学・演劇において端的に代表する存在として評価するA・P・ハーバートの『タンティヴィ荘』をその「ヒウマーの特性」に注目しながら取り上げてみたい。

> 『タンティヴィ荘』は、その美術家が屬してゐたやうなボヒーミアン藝術家の群と、田舍の舊家たる貴族一家との交渉であるが、その中には、狐狩——英國の貴族の最も誇りとする嗜好である冬の遊戯が諷刺の對象となっている。タンティヴィ荘の貴族たちの考えでは、狐たちは、野卑な百姓どもに殺されるよりも「艶々しいシルクハットを被ってゐる貴族に殺されることを喜ぶ」。鳥もまた「さうして死ぬのが仕合せだ。もしさうでなかったら、きっと紳士錄に名の出てゐない人に殺されるのだから、」と思ってゐるのである。この喜劇は、一九三一年、ニーヂル・プレイフェア氏（Nigel Playfair）の演出で、倫敦ハムマスミス・リリック座（Lyric Hammersmith）に上演され、ギルバート・サリヴァン喜歌劇の傳統を繼いで、それに優るものと評せられた。A・P・ハーバート氏はその後しきりにこの種の作品に忙しいやうである。（福原「英文學」259-60 下線筆者）

1931年ナイジェル・プレイフェアによる演出でロンドンのハマースミスのリリック劇場で初演されたこの喜歌劇は、ユーモアを主とし諷刺を副としたギルバート・サリヴァンの喜歌劇の伝統を継ぎそれをもしのぐものであると福原とみなしていることはすでに述べたとおりだが、その「諷刺」の対象となっているのが、主人公が属する「ボヒーミアン藝術家の群」と「田舍の舊家たる貴族一家との交渉」の場として提示される「狐狩」という「英國の貴族の最も誇りとする嗜好」である、このことにあらためて注目しよう（福原「英文學」259-60）。

とはいえ、まずは、A・P・ハーバート『タンティヴィ荘』の基本構造を読解してみよう。『タンティヴィ荘』というタイトルの意味とは、なにか。異なるグループの交渉の場であり諷刺の対象となっている狐狩が催されるタンティヴィ荘すなわちタンティヴィ伯爵所有のカントリーハウスが舞台というのがその表面的な意味であるが、「タンティヴィ（tantivy）」

は「突進（at full gallop）」あるいは狩猟で獲物を追う掛け声であるということ、またタンティヴィ家に属するキャラクターの名前に関していえば、伯爵夫妻の息子ハークアウェイ子爵のHarkawayは、猟犬に対してアクションを命令するときに使われる「それ行け」、娘のアン・ギャロップ嬢のGallopは、「猟犬を放つ馬が最速で駆ける」という意味、アンの許嫁で狩猟の仕切り役（Master of Fox Hounds）のベアバック大尉のBarebackは、「驟馬・鞍なしで」という意味でもあることから、狩猟（好きの貴族）一族が住まい・集う館ということになろうか。このようなキャラクターの名をちらりと目にしたり耳にしたりした観客は、思わず、くすり、と笑みを漏らしてしまう、そのようなユーモアが、まずは、提示されている。

このような英国の伝統的な牧歌的田舎を舞台にした狐狩を前景化したタイトルをもつテクストの主人公は、ロンドンのチェルシーにスタジオを有し上流階級やその遊戯である狩猟に反感・嫌悪を抱き、社会のしきたりにとらわれずに自由気ままなアーティな生活を送るいわゆるボヘミアン歌手ヒュー・ヘザーである。テクストのプロットは、貴族・上流階級やその遊戯である狩猟に反感・嫌悪を抱くボヘミアン歌手という設定の主人公ヒュー・ヘザーが、自身のロンドンのチェルシーのスタジオで友人たちに催された自らの誕生日パーティーにおいて[8]、ボヘミアン画家・「ディレッタント」の友人ジェニー・ジェイに誘われてやってきたハークアウェイ子爵（チャールズ）の妹で許嫁のいる伯爵令嬢レイディ・アン・ギャロップに一目でかなわぬ恋心を抱いてしまうことから、その展開がはじまる。二人の恋愛の舞台は、田舎のタンティヴィ荘というカントリーハウスに移り、一度は、アンの心をとらえかけ結婚も視野に入る仲になるのだが、異なる階級または文化に属する二人がめでたく結びつくことはなくこの芝居の幕は閉じる――ちなみに、アンにフラれたヒューは、その失意のなか未練たっぷりにロンドン、チェルシーへと帰還すべく、ヒュー同様上流社会とその遊戯の空間には場違いであったジェニーに連れられて、タンティヴィ荘を出立する。

たしかに、テクストの基本構造が描き出しているのは、福原のいうようにロンドン、チェルシーの「ボヒーミアン藝術家の群」と「田舎の舊家たる貴族一家との交渉」あるいは対立で、そのエンディングでそれぞれの階級を代理表象する二人のキャラクターの異性愛の絆が結ばれないことから、対立の解消が困難である状況を描いている、ようにもみえる。だが、はたしてそのような階級間の決定的な対立を、換言すれば、英国リベラリズムの機能不全による奇妙な死を招く矛盾を、このテクストは提示しているのだろうか。たとえば、アンが属する貴族階級の遊戯である狐狩のお約束事を破る行為をおこなったヒューのイメージをどのようにとらえたらよいのか。というのも、このボヘミアン歌手自身は、徹底的に否定的に描かれているわけではないようだ。[9] さらに、プロットで重要な機能を担う狐狩に注目してテクストの全体性を解釈することが必要だ。そもそも、タンティヴィ荘での恋の進展は、アンの許嫁で狩猟を仕切るベアバック大尉とのライヴァル関係・対抗心によって動機づけられていたもので、この喜歌劇のプロットの最後で、伯爵令嬢アンとの恋愛をボヘミアン歌手ヒューが成就することができなかったのは、ヒューが狐を撃ち殺す（結果として猟犬たちの獲物を奪取する）という狐狩におけるルールを破ったため、ということになっていた。

喜歌劇『タンティヴィ荘』のエンディングにいたる場面を、少していねいに、再読してみよう。ヒューがアンから「人でなし」となじられたあと、狩猟グループはこの痛ましい場面――狐が銃殺により死に至ったこととヒューがアンに平手打ちを食らわされる二重に痛ましい場面――に背を向ける。その直後狐の死骸をかかえ怒りのあまり青ざめたベアバックが、狐狩のタブーを犯したヒューに鞭で殴り掛からんとするのが以下の場面だ。

> BAREBACK (*thrusting her aside*)
> You, Sir! First you take my wife
> Then you take a fox's life!
> Now take that!
> (*He aims a blow at* HUGH *with his crop, which* HUGH *wards off with the gun he still carries. They fight,* <u>*indecisively*</u>*, for a moment or two. Then* ANN

breaks in between them with a cry of "Stop!" They cease fighting and ANN *takes* BAREBACK *aside.*)(Herbert 75-76 下線筆者)

アンと狐狩のマナーをめぐるヒューとベアバックの対決はどこか「ためらいがち」でユーモラスなものとして提示され、前近代的な決闘のパロディともなっているようだ。二人の間にアンが割って入りその場を収めることで、そうした決闘においていずれかが死に至るといった修復不可能な敵対関係は回避されている。さらに、アンがベアバックの側に立ったのちも、にわかには現状を把握できずアンを見つめ続け、ジニーに連れられてタンティヴィ荘を立ち去る際にも、ヒューは振り返り振り返り未練たっぷりアンに視線を向けながら退場するのだが、こうしたジェスチャーにも、二つの異なる階級の対立が、実のところ、決定的ではない、交渉の余地が残されている、ことが提示されているのではないか。言い換えれば、貴族とボヘミアンの間で交換される女アンの媒介によって、貴族とボヘミアンの対立あるいは二極化は、解消するとは言わないまでも、スノビズムへのからかいや諷刺を含んだユーモアをもちいて交渉可能である、このような欲望とそれを可能にした英国の歴史状況を読み取ることは可能だ[10]。

こうした解釈を、さらに私なりに進めるために、ここで『水のジプシーら』と立体的に『タンティヴィ荘』を読む、と同時にまた、スクワイアを批判したシットウェルについての福原の解釈との関係性を読み解くことを試みてみたい。まずは、『水のジプシーら』について、福原が指摘している箇所を確認してみよう。

Two small clusters of people stood at the waterside on the muddy beach. In one was Fay Meadows (worried about her shoes), Beryl Anderson, the Murray Clares, Mrs. Raven, and one or two more. In the other were Mr. Bell, Mr. Perter, Mr. Fox, the two Mrs. Higgins, some of the skittles-players, one or two longshoremen, and many small boys. Between the two groups was a sharp division, a clear space; and that was occupied by a Press photographer (for a ‘Gossip’ writer present at the Clares’ party had announced that morning the adventurous departure of the ‘Peer’s artist son’.（*Herbert The Water Gipsies* 386 下線筆者）

小説テクストのこの結末部分について、福原は以下のように解説している。

最後に貴族の画家は、恋を逃れて自分のヨットに乗って一人で英国一周の旅に出る。これを送ってきた友人たちは依然と二つの階級からなっていた。一は貴族や美術家や女優たち、他はこの画家が酒場で知り合いになった職人階級の人達であった。彼らが岸に並び立つとその二つの群の間にちょうど三尺ばかりの隙間が出来た。その隙間へ新聞の写真班がカメラを突き出して写真を撮った。（福原「英文學」259）

こうして『水のジプシーら』は、貴族・芸術家たちと（共産党員を置き換えた）職人階級との和解の可能性を、ひとりのキャラクター（Mr. Bryan）が貴族とボヘミアン（the ‘Peer’s artist son’）を兼ねることで二極化を統合しているようではあるが、こうした統合による階級格差の解消・問題解決は、英国においては困難極まりないので、貴族＝ボヘミアンのキャラクターは、船で旅に出ることでその二極化の空間から立ち去る、という結末となっている。ただし、この二極化は、新聞の写真とゴシップ記者という大衆メディアにより、別のかたちで統合され、すみわけ状態が達成されることになる[11]。『水のジプシーら』という小説テクストのポイントは、貴族とボヘミアンが「貴族のボンボン芸術家（the ‘Peer’s artist son’）」Mr. Bryanにおいて共存し統合されていることであり、このキャラクターが表象しているのが保守化されたリベラリズム――第二次世界大戦敗戦後の日本の歴史状況においては、福原の仕事も林健太郎・福田恆存・小泉信三・池田潔とともにそこに含まれるような「新保守主義」――、ということになる。

では、小説『水のジプシーら』とならんで最重要であるという、『タンティヴィ荘』の諷刺とユーモアは、どこにさぐることができるだろうか。すでに基本構造のタイトルの意味においてもほのめかされているともいえるが、まず、登場する貴族の名前がすべて狩の掛け声や乗馬にかかわるものであることから、貴族の狩好きを、シットウェルがスクワイアに対してしたように（福原「英文學」256-57）、徹底的にこき下ろすのではなく、大人が上品にくすっと笑えるようなユーモアをもって提示しているところに、みることができる[12]。次に、貴族とボヘミアンの対立・二極化すなわち対立する者同士がめでたく結ばれない悲劇的ともいえる結末も、いわゆる許されない恋の結末としてありがちなロマンティックな愛の死とは異なる、子供じみているとさえいえるかたちでしつらえられているところにも、福原のいう「ヒウモア」を観察することができるかもしれない。

『タンティヴィ荘』のエンディングにおいて「のけ者（the outcasts）」(Herbert 77) として名指された二人――主人公ヒューとその友人ジニー――がともに退場したあとの場面では、狩猟の一団が"A Tantivy, tantivy, tantivy, tantivy, halloo!" (Herbert 78) と狩猟で獲物を追う掛け声「タンティヴィ」を繰り返し唱和して幕となるが、この貴族階級の遊戯を言祝ぐ結末は、大衆化がいかに進もうとも、英国の貴族階級そしてその文化は生き残る＝サヴァイヴし続ける、ということを示しているのではないか。さらに、幕が降りたあと、AUTHOR's NOTEとして付加された「その後」―― ANN *marries* BAREBACK, *and they settle down to the quiet life of the country.* HUGH *joins the Savage Club*. (Herbert 78) ――に注目しよう。ここに付加されたのは、アンはベアバックと結婚し田舎で静かな生活を送り、ヒューは（ロンドンの）サヴィジ・クラブに入会するというそれぞれの「その後」であるが[13]、この貴族（田舎）とボヘミアン芸術家（ロンドン）のすみわけが示しているのは、英国は、この二極化したグループが、すみわけしながら、大衆化・近代化を進めてきたということを提示している、と解釈したい。ただし、このクラブのメンバーにエドワード7世・ジョージ5世・ジョージ6世が含まれていることから、すみわけながらも、『水のジプシーら』の貴族＝ボヘミアンのキャラクター同様につながるあるいは重なり合う部分があるということが、ここにひそかに示されている、とも読める。

ブライト・ヤング・ピープルとの関係でいうならば、一見するとメトロポリスであるロンドンという都会におけるどんちゃん騒ぎと対立しているかにみえる『タンティヴィ荘』の狐狩（fox-hunting）は、ブライト・ヤング・ピープルによる宝探し（treasure hunting）という狩＝ハンティング行為の田舎・カントリー版ともとらえることができるかもしれない。『タンティヴィ荘』においてヒューの声を通して“this pretty sports” である狩猟が“charming country”を残忍なかたちで台無しにするものだ（Herbert 56）と批判されるのと同様に、ブライト・ヤング・ピープルの宝探しをはじめとするどんちゃん騒ぎは都会の市民生活の妨げになっていた。『タンティヴィ荘』において表象された狐狩は、ブライト・ヤング・ピープルにおけるパーティーの大騒ぎの合わせ鏡として、とらえることも可能かもしれない。

だとするならば、ブライト・ヤング・ピープルとたもとを分かち狩猟文学執筆に向かったジークフリード・サスーンとスティーヴン・テナントとの二極化の媒介のアレゴリーとして、A・P・ハーバートのテクストの意味を、歴史的に解釈することができるかもしれない[14]。言い換えれば、2021年日本ヴァージニア・ウルフ協会全国大会におけるシンポジウム「Bright Young Thingsの／とモダニズム」は、文化的イメージとして30年代の田舎を持ち上げるトールキンやルイス、ミルン、バリを批判し、20年代のブライト・ヤング・ピープルが存在した都会を取り上げたが、実はその田舎と都会ならびにそれと結びつけられる狩猟と芸術、貴族とボヘミアンといった対立を媒介するかたちで、よりソフトにより分かりやすくポピュラーなかたちで、モダニティの大衆化を表象したのが、ハーバートの『タンティヴィ荘』だったのではないか。別の言い方をするなら、モダニティの大衆化という歴史的可能性の条件のもと、その文化的な共同・結合とともに政治的・経済的な分断・格差をもはらんだ階級問題という問いに対して、ひとつの答えを提供したのがハーバートの喜歌劇の意味にほかならなかった、その答えとは、保守主義というかたちを取ったリベラリズムを新たにになうようなイノヴェーションを経て再生産された英国の伝統的ユーモアによる対応であった、これがこのセクションの結論だ。

4. ブライト・ヤング・ピープルの文化とモダニティという問題機制とリベラル・イングランドという帝国の存続・拡張

A・P・ハーバートが継承・イノヴェーションしてみせたきわめて英国的なユーモアは、第一次世界大戦後の戦間期になって19世紀英国のリベラリズムが「奇妙な死」を経験して保守主義に籠ったことを示すだけではない。本論が『タンティヴィ荘』とそのいくつかのサブテクストをブライト・ヤング・ピープルの文化と立体的に読み合わせたがいに合わせ鏡にしてとらえ直してみたように、ハーバートの伝統的でリベラルな「ヒウマーの特性」は、実のところ、モダニティが大衆化された20世紀という歴史的可能性の条件において、自由貿易・自由主義を謳う大英帝国とそのリベラルな英国文化を、ひそかに延命・存続させたどころか、あまつさえその拡張・拡散をも可能にしたとさえいえるかもしれない。別の言い方をすれば、本論が示唆したのは、ハーバートの喜歌劇『タンティヴィ荘』がその飛び地・エンクレーヴとしての部分を構成するブライト・ヤング・ピープルとは、多様性に満ちた階級横断的な「衝動の共同体」がその出自を英国上流階級にもつ若者文化としてそれでも解消しきれず抱え込んでいたかもしれない政治的・経済的階級格差の問題を狭義の文化的概念によって代替することにより、リベラル・イングランドという帝国の存続を指し示す記号だったのではないか、ということだ。

さらに本論の議論と関連するいくつかの論点を付け加えておこう。ジョージ5世とプリンス・オブ・ウェールズの対立は、実は、30年代の大衆化に対応した王室の延命あるいは継続を可能にしたものだったのではないか、このような可能性を映画テクスト『クィーン（*The Queen*）』(2009)

とさらに照らし合わせて考えてみることができる。ブレア政権誕生の時期を描いたこの映画テクストでも提示されたように、一見エリザベス2世と故ダイアナ妃とは対立しているようでいて、ブレア／ニュー・レイバーのブレーンとなったシンクタンクのメディア戦略がグローバル化に対応した王室のモダナイゼーションをとにもかくにも推進・展開していく過程において、この対立は実は媒介機能を帯びることになる。ハーバートの『タンティヴィ荘』がもっていた意味・機能のように、ダイアナとエリザベス2世、ジョージ5世とプリンス・オブ・ウェールズをめぐる二項対立も、大衆化・グローバル化にそれぞれの時代に対応した王室の延命措置に関与する、そして、そのような関与の過程において二項対立は脱構築されたうえでイデオロギー的に再構築されたのではないか、その対立・矛盾の痕跡は残存しているとしても。

もうひと言ついでに付け加えておくなら、あらためて、1930年代のハーバートの喜歌劇『タンティヴィ荘』を「長い20世紀」の空間に歴史化する際には、1920年代のミュージカル・コメディやレヴューに始まり戦間期後期にはより明白に政治化される小規模な「親密なレヴュー（intimate revue）」にいたる軌跡をたどる必要がある、という点だ。なにより、戦間期英国におけるミュージカル・コメディの変容にかかわる演劇がたどる歴史的軌跡において、いまだに過小評価され続けているミュージカル劇場の存在に注目したジェイムズ・ロス・ムーアがたどる「1920年代のミュージカル・コメディやレヴューに始まり戦間期後期にはより明白に政治化される小規模な『親密なレヴュー（intimate revue)』にいたる軌跡」を再確認することは重要だ。ムーアによれば、1920年代のミュージカル・コメディやその後大劇場で上演され大いに人気を博した大劇場におけるレヴューのような初期の舞台に欠けていた社会的・政治的論評を含むレヴューへと洗練されていくひとつの契機は、1926年の『リヴァーサイド・ナイツ（*Riverside Nights*)』初演である。まず注目しておいてよいのは、このレヴューが、ウェスト・エンドのビジネスやその商業主義から分離されたロンドン郊外の空間、ナイジェル・プレイフェア所有ハマースミスのリリック劇場で上演されたということ、そして、その大半を執筆したのがA・P・ハーバートであったことは、とりわけ注意しておかなければならない（Moore 101）[15]。

ハーバートと協働したナイジェル・プレイフェアが、ロンドンの郊外ハマースミスのリリック劇場において取り入れたまったく新奇なアプローチは、古典の上演を革命的に変容したといわれる。彼の止むことのないシェイクスピアにはじまる実験的な古典の再演は、モダンな観客の嗜好に合わせた新たな上演スタイルを導入することになった（Marshall *The Producer* 91）。もともと、自分の好きな芝居を自分の好きなやり方で自らを楽しませるために上演するプレイフェアのやり方は商業主義とは一線を画していた、といわれる（Marshall *The Other Theatre* 32）。プレイフェアの古典再演で特筆すべきもののなかには、1920年代に1,500回の上演を数えるほどの成功を収めた『乞食オペラ（*The Beggar's Opera*）』がある。18世紀のジョン・ゲイ原作のテクストの翻案・再演は、ゲイのオリジナルへの侮蔑ではなく称賛をこめたパロディ、あるいはより適切には、ポストモダンなパスティーシュともよぶべきもので、それは諷刺や皮肉は極力おさえ軽やかに触れる程度にという彼のスタイルでもあった（Marshall *The Producer* 249-50）。こうしたプレイフェアのスタイルは、ハーバートのユーモアの特質との関連で、差異化してとらえる必要があるだろう[16]。

三つ目の付言として、本論の第2セクションにおいて保守的モダニティの批判的検討をおこなったアリソン・ライトの議論を取り上げたが、モダニティの大衆化とともにその後のグローバル化の進展についても考慮するなら、彼女の戦間期英国文化の歴史的研究のサブテクストであったポール・フッセルの議論についても言及しておくべきだろう。戦間期英国の文学を国内の田舎や郊外あるいは主婦・ガールのジェンダーというより、むしろ、大西洋・地中海やユーラシアにまたがる海外への空間移動に注目して旅行記あるいはトラヴェル・ライティングの意義・重要性を主張したポール・フッセル『アブロード（*Abroad*）』は、戦間期前後を含む20世紀英国の外向きに国外の空間を追求・希求する上流階級のボーイたちの欲望と運動を提示したものであった。フッセルの議論とハーバートとの関係について述べるならば、『タンティヴィ荘』とほぼ同時期に書かれたハーバートのもうひとつの最重要テクスト、小説『水のジプシーら』におけるブライアン氏の運河の船旅は、そこから拡張していくオーシャンにおける船旅も指示しているかもしれない。『水のジプシーら』における、ヴァガボンドの意味とそれが秘めていたさらなる拡張あるいは拡散的転回とはなにか[17]。フッセルによれば戦間期の世代にとって神聖なものは、単に旅人のそれではなく、さすらい人・放浪者、あるいは、チャップリン映画のルンペンのイメージ、彼らはみな時代の幹線道路にふさわしい、そつのない回避やその場しのぎのテクニックにたけていた（Fussell 57）。

> The figure of the open road had of course been a staple of romanticism at least since Whitman, but between the wars it takes on renewed vigor. The American Schuyler Jackson, intimate of Robert Graves and Laura Riding, conceived the idea of a publishing enterprise called the Open Road Press devoted largely to issuing I Hate It Here materials. J. B. Priestley's cheerful novel *The Good Companions* (1929) appropriated the open road theme for purposes of optimistic propaganda, while, as Charles Lock Mowat points out, "A. P. Herbert's *Water Gypsies* (1930) sent everyone vagabonding in imagination of the canals."（Fussell 57-58 下線筆者[18]）

ここではこれ以上詳説できないが、The Open Road Pressを立ち上げたスカイラー・ジャクソンが、アメリカ南部の新批評アレン・テイトとオクスフォードを結びつける媒介ローラ・ライディングとロバート・グレイヴズと親しい関係にあったということにとりあえず注意しておこう、なにしろこのようなトランスアトランティックな英米関係こそが第二次世界大戦後の米国において制度化されたモダニズムおよびそのモダニズムの規範をもとになされた英文学自体の研究・教育の制度化の重要な歴史的契機であったのだから。

Notes

[1] ここで本論が措定するモダニティの問題機制は、1990年代後半以降に歴史回帰的に復活・復興されたいろいろなモダニティ論、すなわち、グローバルな自由市場やネオリベラリズムそして情報革命をモダニティとして言祝ぐものとは区別されるものである。それは、Jamesonが提案した新しい歴史的可能性の条件としてのモダニティであり、この歴史条件へのさまざまな政治・経済的または文化的・美学的対応として、モダナイゼーションやモダニズムをとらえようとするものである(Jameson 99)。こうしたモダニティの問題機制を用いた議論は、『アール・デコと英国モダニズム』においてもなされている。もうひと言念のために付け加えておくならば、Jamesonが *Postmodernism, or the Cultural Logic of Late Capitalism*（1991）において「モダンの終焉」を経験しつつあった主に西洋あるいは米国の視角からポストモダニズム論を著したときに提示した仮説、すなわち、「モダニズムは本質的に不完全なモダナイゼーションの副産物である」は、傾向としてのより完全なモダナイゼーションは、モダニズムではなく、ポストモダニズムに結びつくという議論とともに、なされたものであった（Jameson 103-4）。

[2] 松永典子「参政権以降のイギリス文学と働く女――ポストサフラジズム／ポストフェミニズムの系譜」お茶の水女子大学大学院に博士論文として提出予定のものからの引用は、松永氏とのパーソナル・コミュニケーションによる。

[3] このスノビズムについて、戦間期の英国の社交界を取り巻く社会の状況を評したパトリック・バルフォアは、その著書『ソサィエティ・ラケット(*Society Racket*)』の「プロローグ」において、スノバリー（snobbery）を英国人気質としてとらえ社交界との関係について述べている。第一次世界大戦後も英国人が俗物的＝スノビッシュである限り社交界は重要であり続け、戦前のそれとは別のかたちでサヴァイヴし続けるのだ、と (Balfour 33)。『ソサィエティ・ラケット』というタイトルは、大戦後、新興成金や新たに台頭･形成されつつあった下層中産階級等々が、方途（不正な手段をも含めて）を尽し社交界という特権的な集団・空間になんとか入り込もうとした当時

の英国の状況を指し示すようものとなっている、といえるだろうか。

[4] テイラーの情報の源は、ガーゴイル・クラブの元メンバーであり第二次世界大戦中、ライフル連隊に所属し外務省の情報局で活動したマイケル・ルークによる著書*David Tennant and the Gargoyle Years*であるが、ルークの記述には、委員会のメンバーとして、コンプトン・マッケンジーの名も『グラモフォン(*Gramophone*)』誌の編集者として挙げられている(Luke 31)。

[5] ハーバートとクラブの関係についてはBalfour(117-18)も参照のこと。

[6] 近年、スタンリー・ボールドウィンや戦間期の保守主義が、単なる頑迷で内向きの保守主義のようにみえて、実は米国の自動車メーカーフォード社やそのモダンな消費文化を英国的なやり方で推進していたことを示して再評価する、ほとんどブレア/ニュー・レイバーを準備したサッチャー万歳か、と思われる研究が、続々と、なされているような気配だ。たとえば、Kowolの論文をまず参照せよ。また、同じ時期にみられた貴族階級と広告文化の表象を文学の領域で掘り起こし再評価しようとする議論としてMayhallもあり、Dorothy L. Sayersのミステリー小説も取り上げられてBright Young Peopleのイメージが言及されている。

[7]「英文學に現れた諷刺とヒウモア」は岩波講座世界文学中の一冊で昭和8年[1933年]4月に出版された(福原 4)。

[8] この喜歌劇の主人公の居住するチェルシーという空間は、ボヘミアン芸術家との関係において、戦間期30年代にはメイフェアに取って代わられたとされているが(Balfour 173-74)、メイフェアではなく、チェルシーが舞台となっている意味は、なにか。第一次世界大戦後の英国の社交界に進出した中産階級やそれと連動するアメリカ発の消費主義、そしてアメリカ大使館が1938年にグロブナー・スクエアに移動しその存在を誇示した空間であるメイフェアではなく、チェルシーが舞台となっている意味を読み取ることができるかもしれない。また、テクストのエンディングで提示されるボヘミアンと貴族とのすみわけ、ということについて、Balfourに興味深い記述がある。"Even in London there was a Bohemian life before the War; but it was quite separate from Society life. The artists lived in a world of their own"(Balfour 173). 大戦以前、ボヘミアン芸術家は貴族と別の世界を生きていたのだが、Balfourによれば、戦後、芸術がファッショナブルになり、新たに社交界に進出・台頭してきたホステスたちは、かつて18世紀に芸術家を支援してい

た貴族たちとは異なり芸術への理解力を有しないスノッブであった。彼女たちは、アーティな似非芸術家気取りたちをディナー・パーティーの客寄せとして招いたりするようになり、さらに、そこで消費される芸術は、分かちがたくビジネスと結びつくようになったのであり、これがチェルシーと区別されるメイフェアの空間の特徴であったのだ（Balfour 173-92）。

[9] また、『タンティヴィ荘』に描かれたヒューの狩猟のマナーに関しての失態との関係でいえば、20世紀末英国での狩猟をめぐるグローバルな階級間の差異あるいは対立を描いた*The Queen*という映画テクストと比較してもよいかもしれない。このテクストにおいて伝統的な貴族文化である狩猟の空間に侵入し、その約束事を破ったのは、「実は普段は存在しない客——“one of the commercial guests”（Morgan 111)であり、帝国都市ロンドンあるいはシティから客として訪れて、お粗末な射撃の腕で、無用な苦しみを与えつつ鹿を死に追いやった「投資銀行家（investment banker)」は、その姿をあらわすことはないものの「投資銀行家による鹿の射殺は、旧来の伝統的なイングリッシュネスが提示するイメージを模倣し取り入れようとする中流階級の文化の新たな台頭」(大谷 38）としてむしろ否定的に提示されたいる。

[10] Allyson N. Mayは狐狩と階級の関係について、17世紀に成立した狩猟法をめぐる、田舎の貴族・ジェントリ階級とロンドンの中産階級との対立について、田舎と都会、土地と資本との対立いう視点から説明しているが、興味深いのは、その法律において狩猟を許されない新興中産階級が、貴族階級に抗議するというよりも密漁という手段を用いて、「ジェントルマンの猿真似」をしたり「ディナーの席で田舎のジェントルマン」を演じて狩の獲物を供するスノビズムについて提示している点だ（May 7-8)。

[11] ゴシップ記事の文化を生産する大衆メディアと戦間期に航空機生産大臣でもあったLord Beaverbrookについては、本書における大道千穂の議論を参照されたい。

[12] 福原は、ハーバートのそれとは異なり、ユーモアとは結合していない諷刺の例として、J・C・スクワイアを批判・攻撃したオズバート・シットウェル（Osbert Sitwell）の諷刺詩を挙げている。シェラード・ヴァインズ（Sherard Vines）が編んだ諷刺詩集に所収されているシットウェルの「スクワイア爺さん」(Jolly Old Squire or Way-Down to Georgia）は、福原によれば、17・18世紀の「諷刺詩の傳統」が「回歸した」ともみなされる「痛烈胸を刺す

如き」ものである。この諷刺詩には「女神――凡庸（Mediocrity)、英雄達――J**k C*ll*gs Sq**re詩人にしてヂャーナリストEnglish Hermesの主幹、E**rd Sh**ksヂャーナリストにして詩人」などの登場人物があるのだが、この「English Hermesの主幹」、「ヂャーナリストにして詩人」は、「『ロンドン・マーキュリー』（*London Mercury*）誌の主筆スクワイア（J. C. Squire)」と「その一黨シャンクス(Edward Shanks)」を指している。福原によれば、ここで攻撃されているのは彼らの「凡庸」であり、『ロンドン・マーキュリー』が「文壇の首位を占めてゐることに對する皮肉」であるという。ジョージ朝を代表するスクワイア派の「凡庸な詩歌」が、「互いに仲間ぼめをして、平俗の嗜好に迎合したもの」として「こっぴどく諷刺」している（福原「英文學」256-57)。

このユーモアとは結合しない痛烈な諷刺を向けられているJ・C・スクワイアという解釈は、Grossの*The Rise and Fall of the Man of Letters*にも同様のものがみられたものである。第一次世界大戦中にスクワイア、W・J・ターナーとエドワード・シャンクスは（フェビアン協会にかかわる）『オブザーヴァー（*Observer*)』と『ニュー・ステイツマン（*New Statesman*)』を含む新聞雑誌の書評欄において発言権を有するようになったのち、1915年に立ち上げた『ロンドン・マーキュリー（*London Mercury*)』誌上において、当時の「文学的ボルシェヴィークたち」、ハイブラウ作品を徹底的に攻撃し、反撃を招いた。スクワイアたちが理想とした、「週末のクリケット、蓋つきのビールジョッキ、海辺のサセックス、薄緑の田園、腿をたたく哄笑」は「スクワイア体制」として伝説化され、当時の知識人がしり込みするようなものであった。こうしたスクワイアらを批判したのが、グロスによれば、第一次世界大戦後に輩出された攻撃的・反伝統的な新たなリトルマガジーン、シットウェル姉弟の年刊誌『ホィールズ（*Wheels*)』（1916-21）やフランク・ラターとハーバート・リードの『アート・アンド・レターズ（*Art and Letters*)』（1917-20)、といった雑誌であった（Gross 239-40)。スクワイアとエドマンド・ゴス、デズモンド・マッカーシー、さらには、ジョン・ベッチャミンとの関係についても、Grossは言及している（Gross 240-42)。

モダニズムの拡張、つまりshifting geographyとそこに見出されるconflictsを探りあるいはハイブラウとロウブラウの媒介・調停の価値を議論するニュー・モダニスト・スタディーズによるスクワイア『ロンドン・マーキュリー』再評価については、Huculak, 240-59.特に244を参照のこと。

最後にだが最小ではなく、スクワイアとシットウェルたちとの関係について、福原やGrossとも、また、ニュー・モダニスト・スタディーズによるHuculakとも異なる解釈をすることも可能であり、この点については、本書の井川ちとせの議論をみよ。

[13] ここに言及されているSavage Clubは1857年に設立されたロンドンのジェントルマンズ・クラブで、芸術・演劇・法律・文学・音楽や科学等々に関心をもつメンバーにより構成されている。A・P・ハーバートもその名を連ねており著名な演劇・文学関係の多くの名がそのリストにみられるが、エドワード7世・ジョージ5世・ジョージ6世の名があることも見逃せない。

[14]『タンティヴィ荘』が初演された1930年代はじめ、サーティーズ（Robert Smith Surtees）からメイスフィールド（John Masefield)そしてサスーンSiegfried Sassoonにいたる狩猟文学の系譜をたどったDartonをはじめとする狩猟文学に関するさまざまな研究がなされたが、そうした研究のキーワードは、第一次世界大戦以前の世界へのノスタルジアとイングリッシュネスであった。Dartonに依拠するMayによれば、そこで主張されるのは狩猟自体というよりも戦後に失われた数値化できない貴重なイングランドの生活や伝統すなわちイングリッシュネスを描写したものであり、狐狩はイングランドのナショナル・ヘリテージの一部をなすのだ、という（May 157-63）。

[15] Mooreがたどる「1920年代のミュージカル・コメディやレヴューに始まり戦間期後期にはより明白に政治化される小規模な『親密なレヴュー（intimate revue)』にいたる軌跡」については、大谷『ショップガールと英国の劇場文化』（近刊）の戦間期英国の「郊外家庭劇」を論じた章も参照のこと。

[16] ハーバートの『タンティヴィ荘』（1931）について、ムーアはその議論においては取り上げていないが、注において言及している。そこでムーアが指摘しているのは、戦間期に開始されたハーバートのその後の英国ミュージカル史におけるキャリアのようだ。福原が「A・P・ハーバート氏はその後しきりにこの種の作品に忙しいやうである」と指摘したその仕事についてもたどることができる。1934年C・B・コクラン制作のミュージカル『ストリームライン』において開始された楽曲担当のヴィヴィアン・エリスとの協働は、英国の題材をもとにした『ビッグ・ベン（*Big Ben*)』（1946）『ブレス・ザ・ブライド（*Bless the Bride*)』（1947）そして、ハーバートの小説

テクストを原作とした『水のジプシーら』（1954）などを産み出し、これらは（米国産ミュージカルに押された）第二次世界大戦後最も成功した英国ミュージカルだったという（Moore 111）。

[17]『友達座』は、もともとは1929年に出版された小説で、プリーストリを一躍有名作家にした作品だが、1931年にエドワード・ノブロックとの共作でヒズ・マジェスティーズ劇場で舞台化され、エドワード・チャップマン、イーディス・シャープとジョン・ギールグッドが出演しており、その後さらに、1933年と57年に映画化もされているが、このテクストをめぐるナショナルな演劇文化の歴史は、より長い時間的スパンと空間的拡がりにおいても捉え直すことも可能で、バルカン地域すなわちギリシアを舞台にした旅芸人一家の物語と彼らの視点から表象される1939年から1952年を中心としたギリシアの政治史を媒介にして20世紀の地政学と冷戦の紛争の歴史を舞台にかけたテオ・アンゲロプロス『旅芸人の記録』（1975）と、比較してみてもいいかもしれない。旅芸人の一行が19世紀の牧歌劇「羊飼いのゴルフォ」を上演しながら移動するギリシアの旅のサブテクストになっているのは、アトレウス家の古代神話、すなわち、ラティガンの『ブラウニング版』の場合と同じアガメムノンにまつわる家族の神話的・叙事詩的物語であった。（大谷『秘密のラティガン』189）

[18] フッセルが言及したMowatの該当箇所は以下のとおり。

Other men called forth the spirit of the open road, partly as an escape to freedom and independence and beauty, partly as a means of improving the lives of others J. B. Priestley's *Good Companions* (1929) owed its success as a novel to everyman's romantic wanderlust, as a film to the charm of Jessie Matthews. A. P. Herbert's *Water Gypsies* (1930) sent everyone vagabonding in imagination on the canals. (Mowat 527 下線筆者)

さらにフッセルは、A・P・ハーバートのテクストが産出した"vagabonding in imagination of the canals"の系譜にあるテクストとして、戦間期の特別な旅行環境の意味を説明するキーワードとしての『ベデカー』（もともとは19世紀ドイツのライプチヒで生まれた近代旅行案内書の草分け）だけでなく、Huxleyの*Along the Road*（1925）や、Orwellの*The Road to Wigan Pier*（1937）

などを挙げている。さらに、ジョナサン・ケイプが1926年に出版を始めて、D・H・ロレンスやW・S・モームのテクストも含む「トラヴェラーズ・ライブラリー」シリーズを出したことや、1930年代ポケットサイズの旅行ガイド「シングズ・シーン」シリーズやより真正さを追求した『ワイド・ワールド・マガジン』なども企画されたことなども系譜のなかにある。

また、Mowatが言及する“the spirit of the open road” は、その後、大衆化されることになる——Walking or hiking became a popular pastime: no longer the eccentric habit of the upper classes or the sad necessity of vagrants and hunger-marchers. (Mowat 527　下線筆者)のだが、本書で菊池かおりが取り上げる石油メジャー、英蘭のロイヤル・ダッチ・シェル、さらに米国のスタンダード石油すなわち後のエクソン・モービルとのつながりも注目すべきかもしれない。

Works Cited

Balfour, Patrick. *Society Racket: A Critical Survey of Modern Social Life*. John Long, 1933.

Darton, F. J. Harvey. *From Surtees to Sassoon: Some English Contrasts (1838-1928)*. Morley and Mitchell Kennerley Jr., 1931.

Fussell, Paul. *Abroad: British Literary Traveling Between the Wars*. Oxford UP, 1980.

Gross, John. *The Rise and Fall of the Man of Letters: A Study of the Idiosyncratic and the Humane in Modern Literatur*e. Macmillan, 1969

Herbert, A.P. *Tantivy Towers*. Methuen, 1931.

---. *The Water Gipsies*. Methuen, 1930.

Huculak, J. Matthew. “*The London Mercury* (1919-39) and Other Moderns.” *The Oxford Critical and Cultural History of Modernist Magazines Volume1.Britain and Ireland 1880-1955.* Ed. Peter Brooker and Andrew Thacker. Oxford UP, 2009. 240-59.

Jameson, Fredric. *A Singular Modernity: Essay on the Ontology of the Present*. Verso, 2002.

Kowol, Kit. “An Experiment in Conservative Modernity: Interwar Conservatism and

Henry Ford's English Farms." *Journal of British Studies* 55.4 (2016): 781-805.

Luke, Michael. *David Tennant and the Gargoyle Years*. Weidenfeld and Nicolson, 1991.

Marshall, Norman. *The Other Theatre*. John Lehmann, 1947.

---. *The Producer and the Play*. Macdonald, 1957.

May, Allyson N. *The Fox-Hunting Controversy, 1781-2004: Class and Cruelty*. Ashgate, 2013.

Mayhall, Laura E. Nym. "Aristocracy Must Advertise: Repurposing the Nobility in Interwar British Fiction." *Journal of British Studies* 60.4 (2021): 771-92.

Mowat, Charles Loch. *Britain between the Wars 1918-1940*. U of Chicago P, 1955.

Sitwell, Osbert. "Jolly Old Squire or Way-Down to Georgia." *Whips and Scorpions: Specimens of Modern Satiric Verse 1914-1931*. Ed. Sherard Vines. Wishart, 1932.157-68.

Taylor, D. J. *Bright Young People: The Rise and Fall of a Generation: 1918-1940*. Vintage, 2007.

大田信良「オクスフォード英文学とF・R・リーヴィスの退場——「グローバル冷戦」におけるポスト帝国日本の「英文学」とロレンス研究」「特集　オクスフォード英文学と冷戦期の／ポスト帝国日本の「英文学」——F・R・リーヴィスの退場を規定した歴史的可能性の条件とは？」『D.H.ロレンス研究』29 (2019): 23-42.

大谷伴子「『クィーン』が表象するニュー・レイバーと"the people's princess"——「グローバル・ポピュラー・カルチャー」の勃興？」『イギリス映画と文化政策——ブレア政権以降のポリティカル・エコノミー』河島伸子・大谷伴子・大田信良、慶應義塾大学出版会、2012. 27-47.

——『ショップガールと英国の劇場文化——消費の帝国アメリカ再考』小鳥遊書房、2023年刊行予定 。

——『秘密のラティガン——戦後英国演劇のなかのトランス・メディア空間』春風社、2015年。

大道千穂「あるびよん・くらぶ再評価——『あるびよん——英文化綜合誌』から再考する戦後日本の英文学」『ヴァージニア・ウルフ研究』36(2019): 79-98.

菊池かおり・松永典子・齋藤一・大田信良編著『アール・デコと英国モダニズ

ム――20世紀文化空間のリ・デザイン』小鳥遊書房、2021年。
福原麟太郎「英文學に現われた諷刺とヒウモア」『英文學研究法』新月社、1949年、225-62.（初出 1933）
――「ポンチゑ」『あるびよん』第 1 巻 1 号（1949）: 52-54.

第5章

モダニティ論とさまざまなモダニズムが誕生するわけ
——ヴァージニア・ウルフ『ダロウェイ夫人』と記憶／トラウマ論再考

大田 信良

1. the Armenian genocideの断片的かつ徴候的な表象

英国モダニズム小説として知られるヴァージニア・ウルフ『ダロウェイ夫人』（1925）のある箇所に、きわめて唐突にかつまたそれを理解するために必要な文脈がほとんど与えられることもなく、ある大量虐殺への言及、the Armenian genocideの表象が存在している。

> She cared much more for her roses than for the Armenians. Hunted out of existence, maimed, frozen, the victims of cruelty and injustice (she had heard Richard say so over and over again)—no, she could feel nothing for the Albanians, or was it the Armenians? But she loved her roses (didn't that help the Armenians?)—the only flowers she could bear to see cut. (Woolf 133 下線筆者)

この場面で、彼女すなわちこの小説のヒロインであるダロウェイ夫人ことクラリッサは、アルメニア人のことよりも彼女の薔薇のほうを気にしている。アルメニア人というのは、「生存権を奪われるかのように追い立てられ、手足を傷つけられ、凍えて、残虐と不正の犠牲となっている」と保守党の政治家である夫リチャードは以前から何度も言っているけれども、それでも、有力な政治家やセレブたちを招いた今夜の夜会に準備する薔薇のほうが気になるクラリッサは、そうした国際政治のなかで問題となっている虐殺の犠牲者たちに十分な共感や哀憐といった感情・情動を抱くことの不可能性を感じている。すなわち、それがアルメニア人たちなのかそれともアルバニア人だったのかいま現在となってははっきりとたしかに記憶していない状態で、つまりは、「彼女はなにも感じることができない」。『ダロウェイ夫人』というテクストにおいて、第一次世界大戦が終わっていわゆるシーズンすなわち社交の季節を迎えた1923年6月のある日の瞬間における主人公の意識の流れをとらえたのが、この箇所である。

このように、大戦後あるいはその「終わりの感覚」・経験を時代的・歴史的契機として、ヴァージニア・ウルフ『ダロウェイ夫人』は、トルコによるアルメニア人へのジェノサイドとみなしうる言説を、国際政治の関係においてそれと交錯するアルバニア人の表象とともに、きわめて断片的かつ徴候的なやり方で、提示している。英米モダニズム文学におけるこのジェノサイドの問題をラディカルに取り上げた1990年代・ゼロ年代の研究をふまえつつ、本論は、その記憶／トラウマの観点による解釈を、地政学の空間によって再考する可能性を探ることにより、21世紀現在のリベラルな人道主義を問題化する作業を進めたい。

2. 階級・大英帝国に対する政治的諷刺から genocideの記憶／トラウマ論へ

このようなthe Armenian genocideの表象を正面から取り上げ主題化するような解釈は、もちろん、20世紀の末までにいたる旧来の研究ではほぼなかった、といっていいだろう。ただし、それにしても自分が愛でるお花、唯一切り花になるのをみても大丈夫な薔薇は生存すら危ぶまれる状況にいるアルメニアの人びとになにか役に立たないかしら、といったモダニズム文学の諷刺としてもアイロニーとしても、どのようにとらえ理解していいのか読者を戸惑わせるような内面の意識を表象するこの『ダロウェイ夫人』を、階級あるいは大英帝国に対する政治的な諷刺という観点から解釈した例が20世紀前半の1930年代になされていたことを、本論の本格的な議論を始める前に確認しておくことも、無駄ではないかもしれない。すなわち、第二次世界大戦敗戦後の日本英文学会で会長になるだけでなく中野好夫とともに戦後のある時期に文壇・読書界において英学に代わる英文学の復興・啓蒙を推進した福原麟太郎により、東京大学の市河三喜を通じて、東京文理科大学に招聘されたウィリアム・エンプソンの解釈がそれだ[1]。

the Armenian genocideの表象については世俗的なこの生の世界における安寧を無邪気に望むクラリッサにはご機嫌斜めな少女の苛立ちの感じそして作者ウルフにはそれに対する単純で一方的な諷刺というよりは「嫌悪（distaste）」（Empson 182）が読み取られる一方で、エンプソンがきわめて巧妙に隠された政治的諷刺を取り出してみせるために取り上げたのは、さだめし煌びやかになるはずの夜会の盛り、昔ながらの一般的な文学的・審美的ウルフ研究がまずは取り上げない場面である。以下の引用にあるように、保守党党首かつ当時の総理大臣と歴史的には想定されるスタンリー・ボールドゥインとの会話に興奮冷めやらぬダロウェイ夫人は、続いて今度は、英国社交界のセレブであるゲイトン卿ならびにナンシー・ブロウの二人に話しかける。

> But she must speak to that couple, said Clarissa, Lord Gayton and Nancy Blow ….They looked so clean, so sound, she with an apricot bloom of powder and paint, but he scrubbed, rinsed, with the eyes of a bird…Ponies' mouth quivered at the end of his reins. He had his honours, ancestral monuments, banners hanging in the church at home. He had his duties; his tenants; a mother and sisters; had been all day at Lord's, and that was what they were talking about—cricket, cousins, the movies—when Mrs. Dalloway came up. Lord Gayton liked her most awfully. So did Miss Blow. She had such charming manners.
>
> "It is angelic—it is delicious of you to have come!" she said. She loved Lords; she loved youth, and Nancy, dressed at enormous expense by the

greatest artists in Paris, stood there looking as if her body had merely put forth, of its own accord, a green frill.（Woolf 194-95　下線筆者）

「ようこそいらっしゃいました。おいでいただいて、本当にうれしいわ」と喜びの感情もあらわにみえるクラリッサは、「貴族」が好きだし、「若者」も好きだ（Woolf 195）。革新的な政治的観念を明示しているわりに支配者層や帝国建設者たちに称賛を献じるとはいわないとしてもぴったり寄り添う身振りを示しているのはたしかであり、それはかつてQ. D. リーヴィスが厳しく叱責したこともあるウルフの好意的な調子にあらわれているのを、一応、ふまえたうえで、それでも「そうした相反・混合する感情（such mixed feelings）」からウルフのテクストが文化的生産をする「きわめて効果的な諷刺（the most effective satire）」についてエンプソンは論じている（Empson 182）。言い換えれば、アッパー・ミドル・クラスあるいはその「階級分派」としての「知的貴族階級」に「教育ある階級の娘」として帰属するウルフが英国のエスタブリッシュメント・貴族階級に対して抱く魅惑と嫌悪あるいは愛憎が複雑に絡みあうアンビヴァレンスこそが、“political satire”（Empson 183 編集者註）によって解釈された『ダロウェイ夫人』のポイントということになる―― “The point is not that she loves her aristocrats too much but that the book, like most post-war good writing, makes a blank statement of conflict; she shows that she can feel on both sides, knows both how to love and to hate her aristocrats…”（Empson 183）。

興味深いことに、他者への共感やそうした感情の交感・コミュニケーションにかかわる言説が、この夜会の盛りの場面に提示されている。英国貴族ゲイトンが、「緑色のフリル」のついた「パリの最高の仕立屋のとても高価なドレス」を身にまとっているお相手ナンシーに、小作人たちもいる田舎の屋敷・エステート、クリケット（“Lord’s”）やポロ（“Ponies’ mouth”）、あるいは映画について話したりしていたときに、「清潔そうで、とても健康そうな」この二人に――「女のほうは白粉と頬紅で杏色の肌。男のほうはこざっぱりした風采で鳥のような目」――夜会のホステスであるクラリッサが近づく（Woolf 194-95)。「アウトドア・スポーツ好き」(Empson 182）としてひとまとめにエンプソンが解釈するゲイトン卿とナンシーは、すなわち、大英帝国のエスタブリッシュメントを構成する階級は、かつての若いクラリッサがピーターとしたように、モリスあるいは私有財産を否定する社会主義やティンダル、ハクスリーのようなダーウィン主義をもとにした文明の終末論などについて多くを熱く語り合うといったことは、どんな場合でも、ない。ひょっとしたら一晩中ダンスに興じるといったことはあるかもしれないが、英語という言語の膨大なリソースすなわちこの言語によってこそ可能になる感情を相互に伝達し親密な交わりを経験するちからは、彼らのものではない（Woolf 195)。貴族階級のマナーやライフスタイルといった文化形式に魅惑されるヒロイン、クラリッサ（あるいはウルフ自身）が、そうしたスノッブ性と同時に、the Armenian genocideをめぐる他者への共感・ケアの不在にもかかわらず英国エスタブリッシュメント層が具現する英語を通じた感情・情動のコミュニケーション能力の欠如に対して嫌悪や批判をさりげなく挿入し提示している。なるほどたしかに、こうした提示のやりかたは、『ダロウェイ夫人』というテクスト独特の巧妙な諷刺の特質をなしているのかもしれない。

しかしながら、このような巧妙な諷刺のレトリックは第一次世界大戦後英国の社会的対立・矛盾あるいは“conflict”を暴露するとともにウルフのテクストというよりは作品自体の有機的統一・ユニティも突き崩す潜勢力を孕んでいるとはいえ、エンプソンの解釈も示すように、クラリッサの分身として設定されたシェル・ショックに苦しむ青年セプティマスとその投身自殺との不思議な共感と同一化による『ダロウェイ夫人』の構造は、社会システムを成す生と死、正気と狂気の二項対立によって分節化されたうえで、最終的には、両者の間の差異化をもたらす「アイロニー」によってそのユニティが担保されることになる（Empson 182)。また、エンプソンの議論をふまえて補足するなら、クラリッサとセプティマスが記号的にあらわすアッパー・ミドル・クラスとロウワー・ミドル・クラスの対立は、また、クラリッサと女家庭教師キルマンすなわち英国の他者としてのドイツや歪んだレズビアニズムの記号との対立によっても、差異化され重層決定されているといえる。

ただし、このような政治的諷刺による解釈は、21世紀になって議論されるようになったgenocideの記憶／トラウマ論が挑発的に提起する問題に、満足なかたちでは、応答しているとはいえないかもしれない。社会的差異を問題にした文学・文化研究のなかでも、旧来の階級、あるいは、1990年代のジェンダー・セクシュアリティ・人種に関わる差異ではなくグローバルな資本主義世界とその歴史におけるグローバルな問題として地球規模・人類規模にかかわる大量虐殺を、過去の戦争や紛争における事件としてだけでなく、現在から未来へも繰り返し反復され続く記憶やトラウマの問題としてラディカルに再考することを促した研究は、たとえば、以下のように、英米モダニズムとその研究について、批判しているのは周知のことだ。「モダニズムをめぐりこれまで社会的・文化的そして美学的にいろいろと理論が提示され議論されてきたのであるが、モダニティの条件を規定する一覧表において、ジェノサイドのトラウマが取り上げられリストアップされることは、めったに、なかった。……これまでのところ研究・教育制度のなかで受容されてきたモダニズム研究では、奇妙なまでに、ジェノサイドは黙殺されてきたのだ。……国家・メディア・研究制度の支配的な言説はほぼ間違いなくこれまでのところ国家総力戦と産業化された大量虐殺という例をみない経験を、抑圧し、否認し、最後には、正常化することに手を貸してきたのだ」(Kalaidjian 107-8)。『ダロウェイ夫人』のようなテクストを産み出したウルフをはじめとするモダニストたちに掘り起こされる感受性の分裂を引き起こしたのは、地球規模に拡張するgenocideのいったいどのようにユニークなちからをもつトラウマの構造だったのか、これが英米モダニズムを新たにgenocideの記憶／トラウマ論によって再解釈しようとしたウォルター・カレイジアンの問いだった。[2]

カレイジアンは、『ダロウェイ夫人』が表象するthe Armenian genocideに言及しながら、ウルフのアイロニーを用いた描写が、アルメニア人の大量虐殺が担うそのおそるべき歴史性を承認したかにみえてすぐさま否認する、そして、20世紀初頭の大英帝国の社会システムを批判しながらも、結局のところ、安全な生と正気の世界つまりは正常化された貴族階級がイデオロギー的に支配する社会へ回帰して日々の生活を送り続けることになることを、指摘している。

> Virginia Woolf's ironic portrait of *Mrs. Dalloway* (1925) marks the psychic limits of imagining this, by then, unconscious horror beneath the banality of everyday life….Woolf gives testimony to how the trauma of genocide haunts modernism as a cognitive gap that necessarily eludes conscious registration in the public mind（Kalaidjian 111-12）

クラリッサの意識に一度はのぼる"Hunted out of existence, maimed, frozen, the victims of cruelty and injustice"（Woolf 133）に明らかなように、genocideをめぐる社会的公正の問題は、断片的に表象可能なのだが、それは抑圧・否定のメカニズムが構造的に作動しつつ承認されたものだ。それがいわば「削除されたもとでの」genocideの記載ということになってしまうのが問題だということになる（Kalaidjian 113)。

同様の問題は、the Armenian genocideを、飢饉や難民とともに、映像化する20世紀はじめの大英帝国の人道主義について批判的吟味をおこなったミッチェル・タサンによる近年の研究においても議論されている。ローザンヌ条約以降英米双方がかかわった援助団体による人道主義的な映像制作がほぼその活動を停止してしまったことをどのように解釈したらいいか。タサンによれば、そうした被害者である他者を含むようないわばトランスナショナルで集団的な援助活動にみられた団結は、しかしながら、奇妙なやり方で公正の問題を抹消・削除するもので被害・苦難にあった人たちに対して限られた関与のみを要請するようなものであった(Tusan 235)。残虐行為に直面した際に、それにかかわる公正や利害・関心についてよりも苦痛と思いやりにあふれた同情について声をあげ語ることのほうが好まれる、ということか。疑問に付されなければならないのは、21世紀現在の「災害便乗型資本主義（disaster capitalism)」(ナオミ・

クライン)を想起させるような事態、言い換えれば、genocideとして記憶されるべき大量虐殺の歴史的事件が、いつのまにかしかもやすやすと、「一連の人道主義上の災害（humanitarian disasters)」として理解・承認されてしまった歴史的過程とその構造的メカニズムということになる、たとえその出来事がその歴史性とともにトラウマとなってつまり反復強迫的に声なき声としての刻印に開かれているのだとしても。

注意すべきは、genocideの記憶／トラウマについてタサンが問題にしたいのは、カレイジアンが応答を求めた課題であるだけでなく彼自身もモダニズムのテクスト解釈については十分に応答できていないものでもあった、ということだ。というのも、戦争がようやく終わったという感覚において出現する「苦痛の物語」が正常な世界の経験として語られるとき、その緊急事態が過ぎ去ってしまったあとではそのおそるべき危機の原因と帰結の歴史的過程・構造は批判的に記載されることはないのだから（Tusan 235)。

3. 地政学の空間による再解釈の可能性

はたして、『ダロウェイ夫人』が否認・抑圧しつつその痕跡を表象しているのは、アルメニア（だけ）であって、アルバニアで（も）あるという可能性はないのだろうか。国際政治の関係においてアルメニアと交錯するアルバニアの表象を、ウルフが文化生産した英国モダニズムのテクスト『ダロウェイ夫人』に探ってみるなら、以下のような箇所にthe Armenian genocideの表象が反復されていることがわかる。

> "Some Committee?" she asked, as [Richard Dalloway] opened the door.
> "Armenians," he said; or perhaps it was "Albanians." (Woolf 132)

「天賦の才能」により「捧げもののための捧げもの」つまり手段と目的の分断による道具化・物象化を克服する試みとして意味づけられたかのような夜会を催すクラリッサはといえば、「成功を愛し、不快を嫌い、人から好かれなければ承知せず、ばかばかしいおしゃべり（nonsense）を延々と続ける」だけでなく、「アルメニア人とトルコ人をとりちがえ」るほとんどスノッブといってもいい社交界のホステスとしての役割を割り当てられているが（Woolf 135）、夫リチャードとの会話をいま一度思い起す彼女の記憶には、問題とされる虐殺の当事者トルコ人と被害者アルメニア人との二項対立とは異なる差異性が刻印されている。おそるべきgenocideの苦痛と不正を受ける被害者としてのアルメニア人とアルバニア人双方にかかわる重層的な交わり・重なりあいは、どのような意味があるのか明示され説明されることなく、ウルフが産み出すテクストにおいて無意味にだが不気味に執拗なまでに繰り返し回帰するようだ。このような問いを発するのは、最後に、記憶／トラウマ論による解釈を地政学の空間によって再考する可能性を探ってみたいからである、そして、21世紀現在のリベラルな人道主義を問題化する作業を継続し進めていきたいからである。

第一次世界大戦後に構想された国際連盟は、英国あるいはモダニティの始まりまで遡行すればほぼ17世紀ヨーロッパの国際政治からの歴史過程によってとらえることができる。たとえば、30年戦争といったそれまでの紛争・戦争の戦後処理のシステムとなりそしてまたさまざまに修復・改編されることになるウェストファリア体制の系譜に位置づけられる国際連盟とは、貴族階級が支配的なイデオロギーとしてのパワーを失うことのなかったヨーロッパを中心とする地政学的空間の再編を印しづけるものということになろう。それは、大英帝国と競合あるいは取って代わらんとする米国の「ウィルソン主義的な『世界政府』というよりも」、むしろ「イギリスのリベラルな国際主義の伝統に沿った国際組織」として、英国の外務省を中心とする英国の外交官・知識人集団が、構想したのであり、その基礎作りに尽力したのが、ウルフおよびブルームズベリー・グループとも公私にわたりさまざまな関係や交流をおこなったニコルソン夫妻の夫、すなわち、大英帝国の代表的な外交官のひとりであるハロルド・ニコルソンにほかならなかった（細谷 9）。ニコルソンは、外務官僚として、外相カーゾン卿とともに中心になってトルコとの講和条約の作成準備をおこなう。その成果が、genocideの記憶／トラウマ論でも問題にされた、1920年に締結されたセーヴル条約だ。

もっとも、このセーヴル条約は、スルタン政権を倒して新政権を樹立したムスタファ・ケマルによって拒否され、19世紀から続く「東方問題」としてのギリシャ・トルコ戦争（1919-22）――ヘミングウェイの連作短編集『われらの時代』の語りの構造的フレームワークをなすことにもなった英米両国も関与した歴史的出来事――が起こり、英仏伊三国の招聘によるローザンヌ講和会議につながる。ちなみに、ローザンヌの会議は、パリ講和会議とは違って、第一次世界大戦の勝者・敗者が肩を並べて交渉により平和を手に入れた最初の会議という評価もイギリス外交史家のなかにはある。その間、ニコルソンの妻ヴィタ・サックヴィル＝ウェストとヴァージニア・ウルフの出会いと恋愛が進展、二人の関係を幻想的・歴史的な諷刺『オーランドー』（1928）でウルフは描き、他方、ウルフの夫レナードは、国際連盟の草案『国際政府論』（1916）を出版することになる。

ここでいよいよ、『ダロウェイ夫人』にアルメニアと交錯し重なりあいながら提示されるアルバニアについて、確認しておきたい。「大英帝国の外交官」なかでも「『古典外交』の黄昏」という歴史的契機に仕事をおこなったニコルソンを取り上げた細谷雄一によれば、せっかく構想・成立した国際連盟の凋落の兆候となるのが実はアルバニアにかかわる紛争であった。1923年8月27日、アルバニアとギリシャの国境線画定のための国際委員会の仕事をおこなっていたイタリア人が、ギリシャ人により殺害された。これに対して、新たに政権について間もないイタリアのムッソリーニは、ギリシャ人に対して軍事行動を開始して、コルフ島を占領する。威勢の良い叫び声をあげて政権を手に入れた彼は、国民世論の支持を集めるために、「強い指導者」のイメージをつくりたかったからだ。パリ講和会議で、自らの要求が実現しなかったことを屈辱と感じていたイタリア人は、そのような強硬な対外政策を拍手をもって迎えた。この一連のイタリアとギリシャの紛争がコルフ島事件である。これは、国際連盟にとっての最初の試練であるとともに好機でもあったのだが、カーゾン外相は、次官に次ぐ地位にあるウィリアム・ティレルの助言を受け入れて、国際連盟によるイタリアへの制裁を断念することにしてしまう。イタリアと戦争をするような度胸を当時のイギリス外務省はもち合わせていなかったからだ。「カーゾンとティレルの決断に対して、その下で働くニコルソンは憤慨した。国際連盟として国際的な共同行動をとり、侵略的行為への処罰を示威する最良の機会」だったのにと（細谷 99-100）。

ニコルソンにとっては、「何にもまして、国際連盟の規範と権威を維持することが重要」（細谷 100）だったのだ、もっとも、ウルフの夫レナードのエッセイ「政治家と外交官」が別のやり方でよりグローバルな金融資本と外交の変容との関係を示唆していたように、世界のマネーとパワーを握る大英帝国の利害・関心を表現するバランス・オブ・パワーの国際政治体制とともに、「古典外交」の終わりの始まりが出現していたのではあるが。「帝国の文化とブルームズベリー・グループ」について拙稿ですでに論じたように、レナード「政治家と外交官」は、「幾分かのノスタルジーと幻滅感とともに、伝統的なヨーロッパの政治システムを担ってきた外交官とはまったく異質な、ハリマン、J・P・モルガン、J・H・シフ、オットー・カーンのような<u>米国の実業家や銀行家が新たに国際政治の舞台に登場</u>してきたことを記している（184-85 下線筆者）。レナード・ウルフのテクストは、「国際的権威」による世界平和への希求にもかかわらず、「帝国」としてのアメリカと英国との遭遇に関して、十分な調整や協調に成功してはいないようだ。（大田「金貨のポリティカル・エコノミー」349）

記憶／トラウマ論によるthe Armenian genocideの表象の解釈を地政学の空間によって再考し、20世紀以降あるいは第一次世界大戦後の国際政治の関係においてアルメニアと交錯するアルバニアの表象をも読み直すことを試みることにより新たに獲得される解釈の可能性となるのは、地球規模に拡張することをやめないgenocideをめぐるさまざまな問題——記憶やトラウマだけでなくナショナルな国家・トランスナショナルな企業や金融資本の利害・関心や多種多様な人びとに担保・保証されるべき公正——が、国際連盟あるいはそのさまざまな後継組織の構想や命運とともに重層的に規定されており、たんなる米ソいずれかを中心とした冷戦構造とは異なる地政学的な関係性の読み直しに開かれていることだ。とりわけ、国際連盟の凋落を予兆したコルフ島事件、言い換えれば一連のイタリアとギリシャの紛争は、ヨーロッパ冷戦、あるいは、冷戦の「原起源」としての英ソの地政学的対立とバルカン表象（ギリシャはその最重要空間に位置する）によって再解釈されることが、われわれに、要請されている（大谷 128-31）、そして、そうした要請に応答することは、21世紀現在のリベラルな人道主義の問題化のために――「倫理的対外政策（ethical foreign policy）」や「倫理的な戦争」という言説で語られるような、国益追求だけでなく、道徳的・倫理的な要素が重要な意味をもつ英国の外交政策と「秩序形成者・秩序維持者としてのイギリスの外交の特質」と「国際体制」を支える国際組織・国際共同体の発展の歴史は、たとえば、どのように再解釈されるべきか（佐々木・木畑）という問題化のために――、一度は試みるべき課題のはずだ。

4．ちょっと長めの補遺
――さまざまなモダニズムが誕生する？

本論では、具体的な解釈や研究を取り上げて再考の作業をおこなうことはしないが、その代わりに、トラウマ論についてすこし一般的なかたちでコメントするちょっと長めの補遺を、最後に、付け加えておきたい。[3] テロを含む戦争・感染症などの病・事故・災害をきっかけに、孤独なだが「自立した」われわれ各個人が感じたりまた愛するパートナーを失ってわれ知らず経験したりするようなトラウマ、喪、メランコリーあるいは羞恥心といったものがより「リアル」であるような現在の状況を、振り返りながら考えてみたい。90年代前後の新歴史主義が提唱した「死者との対話」から、ジェンダー・セクシュアリティ論の延長線で議論された情動論・アフェクトとも連動していた、記憶のポリティクスの議論、そしてトラウマ論までの研究の展開とは、いったい、なんだったのか。そしてまた、そうした展開は、「モダニズムのさまざまな『拡張（expansion）』[4]」、あるいは、さまざまなモダニズムが誕生することと、どのような関係性を有していたのか。

少なくともヨーロッパでは冷戦が終結し、米国でも「歴史の終わり」が論じられたりまた英国でもポスト冷戦期における新世界秩序が若干の皮肉や揶揄を含みつつも英国の文学者や文化メディアでも言及されたりしていた頃のことだが、日本のヴァージニア・ウルフ協会の学会誌で特別企画「私の選んだウルフ論」が組まれたことがあり、私も会員のひとりとして寄稿したことがあった。そして、その時点では、1980年代のアカデミックなフェミニズムによる解釈・評価の動向が良かれ悪しかれひと段落したのち批評理論を一定程度ふまえたジェンダー・セクシュアリティ論によって英国モダニストウルフの代表的な文学テクストをジークムント・フロイトおよびメラニー・クラインの精神分析の言説と関連・交錯させながら読解した研究として、エリザベス・エイベルのモノグラフ（Elizabeth Abel *Virginia Woolf and the Fictions of Psychoanalysis* 1989）を選んで紹介した。

> 母親像を批判しつつ、実践はもとより理論においても、反動的にならないことが、はたして可能であろうか。過去にさんざんなされたように父親中心のフロイト理論に母親中心の理論や文学テクストを単純に対置するのではなく、それら二項が反転したり重なり合い、相互干渉しながら編制される過程をたどる。すなわち、精神分析学、文学、その他の諸言説が歴史によって媒介されるさまを丁寧に追いかけつつ、文学言語とジェンダー、セクシュアリティの関係を問い直すことができるか。そんな可能性が開けるのを見せてくれるのが、20世紀初め精神分析学的言説の編制のなかでヴァージニア・ウルフの文学テクストを新歴史主義的方法によって解釈する、エリザベス・エイベルの仕事である。
>
> 端的には、「フロイトの言説はウルフのテクストにおいて多種多様に形象化（figure）されている、というのもウルフをフロイトの側に提携させる母親の肉体の否認がもたらすものが、女性のヘテロセクシュアリティを新たに強調することと官能性に対する知性の勝利が

生み出す（母親の肉体との）分離を新たに描き出すことだから」(108)。これはエイベルの研究の最終章の主張だが、そこで分析されている『幕間』の瞬間とは、「自分自身の歴史において、ウルフが精神分析学的プロットとの関係を自らの最終テクストの文学的空間として再形象化（refigure）する瞬間」に他ならなかった。「彼女の最後の小説では、ウルフはそれまでとは逆の方向を描き、ミス・ラ・トローブは完全に見切りをつけた母親中心物語を父親に始まるヘテロセクシュアルなプロットに、女性のために、置き換える」(130)。エイベルにとって、『幕間』（1941）の物語は、20年代の『灯台へ』とは異なり母親ではなく父親にオリジンを持っているのだが、にもかかわらず、その父親中心物語は女性のために／代わりに書き直されたものなのだ。

*

表面上は対立する二項を設定しつつテクストの統一性というテロスへと向かうのとは違うエイベルの姿勢が、まず目につく。そういった図式からはみだす要素に着目する態度は、すでに『ダロウェイ夫人』、『灯台へ』それぞれの分析に十分にあらわれている。一応、前者にはフロイト的エディプス物語後者にはクライン的プレ・エディプス物語が顕著なテクストの解釈図式として振り当てられるのだが、エイベルの手腕が発揮されるのは、むしろ、それからである。こうして、エリザベス・プロットとジェームズ／キャム・プロットも、最初つまらない脇筋にしか見えないのだが、セクシュアリティについての二項対立をたてたあとで読み直されると、父親・母親のイメージに規定される作品の構造全体の見方が全く一新してしまう。……現代文化論の形式と切り離すことの出来ないイデオロギー戦略が問題だ。エイベルが大胆にもこれまで賞揚されてきた母親像を批判するのはファシズムによる母親のイデオロギー的取り込みに抗するためなのだが、しかしその様な視点ならすでにミシェル・フーコー『セクシュアリティの歴史』が提出していた。……フーコーによれば、ナチズムとは血のファンタスムと規律的権力の激発、つまり社会の優生学的再編制との最も素朴にして最も狡猾な結合であり、他方、少なくとも19世紀末の精神分析学は性的本能を遺伝との相関性から切り離すこと、すなわち全ての人種差別と優生学から自由にすることを企てた。ファシズムと理論的にも実践的にも抵抗するために、フロイトは、性的欲望に血族結婚を禁じる法、〈主権者たる父〉の法を与えようとする、そうして欲望の周囲に権力のかつての秩序をことごとく呼び出してしまう。この様に性的なるものの次元を、法、死、血、主権という審級に従って思考するのは、たとえどんなに "subversive" ではあっても結局は歴史的な「反転＝退行」("retro-version") である。こうした研究に潜在していてエイベルが明示してみせたのは、フーコーのセクシュアリティ論にジェンダーを絡めて家父長の首を母親の肉体にすげ替えても無力であるだけでなく危険ですらあることだ。(大田「セクシュアリティのフィギュレイション」62-64)

トラウマ論や記憶のポリティクスによるウルフ解釈との違いは、一読して、明らかだろう。ウルフのモダニズム文学『ダロウェイ夫人』、『灯台へ』、『幕間』とフロイト、クラインの精神分析との間にエイベルが基本的な解釈図式として設定したのは、20世紀大衆社会の形成における主体化・アイデンティティ形成において重要な機能をになった核家族の空間すなわち性的欲望・セクシュアリティに規定された父親・母親・コドモの対立・矛盾を孕んだ関係だった。母・息子／娘の愛憎を孕んだ関係性に注目するクライン的プレ・エディプス物語のフェミニズム的意味とその矛盾をしなやかに洗練された手つきで提示してみせたところをこの紹介文は評価したわけだが、エイベルの解釈行為には、父・息子の葛藤を焦点化するフロイト的エディプス物語が、まずもって、厳然と存在し現前していた。

たしかに、エイベルのウルフ解釈は、英国（および米国）リベラリズムを明示することなくだがたしかに措定したうえで、フーコーが提示した精神分析と優生学の対置も活用しながら、人種主義の言説を使用したドイツのファシズムとウルフの英国モダニズムの関係性を母親中心の物語／父親中心の物語とのねじれに読み解いてみせた。ただその図式には、マーティン・グリーンの『太陽の子供たち――1918年以降のイングランドの「デカダンス」のナラティヴ』（1976）にもみられたような、アイデンティティが規定され形成される歴史的過程において、つねに父親と対立する息子が重要な位置を占めており、ともすれば単純かつ直線的な世代間の対立による物語を語ってしまう可能性を秘めていたのかもしれない。グリーンの「太陽の子供たち」の解釈図式が、英国における生活のすべてのレヴェルにおいて、「古いイングランド」を体現するジョージ5世と「新しいイングランド」を象徴するブライト・ヤング・ピープル（とりわけ、プリンス・オブ・ウェールズあるいはブライアン・ハワードとハロルド・アクトン）という二項対立によって構成されていることは、間違いない。そしてまた、そうした解釈図式や二項対立こそが、1970年代に、イングランドのナショナル・アイデンティティを再定義するだけでなく英国モダニズムの歴史を新たに誕生させるために機能する時代区分の概念・カテゴリーになっていたこと、このことには注意しておこう。

ここで、あらためて21世紀のウルフ解釈ならびにモダニズム研究の動向に立ち返ってみるならば、まさにこうしたエイベルやグリーンの解釈図式つまり父親・母親・コドモによって構成される20世紀の大衆社会の核家族の空間の意味・機能の無効を歴史的に私たちに告知しているのが、トラウマ論にほかならなかった、ということになるのかもしれない。トラウマ論によるウルフ解釈が姿をあらわした頃、現代の資本主義によってグローバルに(再）編制される市場やメディアおよび日常生活の空間におけるいくつかの特定の特徴的なアフェクトやトラウマの反復的な経験のほうが、核家族の父・息子／母・娘の諸関係――以前には、個人とナショナルな国家の間の媒介項として、学校・病院・監獄等々核家族以外の他の主体・アイデンティティ形成の空間や装置にも適用可能であった構造的モデル――よりも、より「リアル」だ、と感じるようになったのではないか。

とはいえ、そのようなわれわれが生きるそれぞれの経験のありよう自体は、そもそも、はたしていかなる歴史条件によって、可能になったのだろうか。すでにいろいろなところで論じられているように、以前の福祉国家は、再分配がなされる単位である家族の設計・デザインが異性愛と男女別の性役割を前提とするものであり、その意味で、構造的に性差別を含むものであったり、ケアについても個人としての性的マイノリティや障碍者などの社会的弱者について十分な考慮がなされていなかったり、した。また、ポスト冷戦期に急速に進行したグローバル分業体制、資本・労働の移動・流通によって生じた階級の再編が産み出した自由なライフスタイルのファンタジー裏を返せば安定したライフ・プランの想像不可能性——たとえば、ワーキング・プアの増大、結婚難、セーフティネットの消滅、ケアのための社会システムの崩壊等々——も、すでに論じられている（三浦・早坂）。してみるならば、もはや父親・母親・コドモからなる核家族の機能・意味への信頼・信用が作動しなくなった現実を、私たち（パパ・ママ・ワタシ）は、個々人として、生きていると日々感じているのだとしても、至極当然だともいえる、なにしろ、安定した核家族の空間における主体形成とライフ・プランの物語をマテリアルなレヴェルで可能にした条件が根本のレヴェルで突き崩されネオリベラリズムの世界のリアルを感じざるをえないのであってみれば[5]。こうして、かつて20世紀の時代に制度化され想定された英国モダニストとしてのウルフ解釈は、その文学史の時代区分のひとつをなすモダニズムといった概念や図式とともに、21世紀のグローバル化とネオリベラリズムの時代には、さまざまなモダニズムの誕生のひとつとして、トラウマ論によるモダニズムによって取って代わられた、二つの時代の間に位置する20世紀後半のポストモダニズムの契機をどのように位置づけるかという問題は残ることになるとしても。

ひょっとしたら、さまざまなモダニズムの誕生のオルターナティブ・ヴァージョンとして、現代資本主義世界におけるグローバルな市場とそこで自由なチョイス／自己責任をになってサヴァイヴァルの日々を送る個人との間に、グローバルのみならずローカル、リージョナル等々さまざまな形態・様態をとりうるコミュニティによってモダニズムを再定義しウルフ文学の研究をすることも考えることができるかもしれない。そして、ナショナルな空間が支配的な20世紀英国の文学・文化を見直す際に、福祉国家と個人との間に、家族の空間だけでなく、さまざまな中間団体やアソシエーションの機能に注目するとともに、いくつかの若者文化をそのような観点から見直してみてもいいかもしれない。

20世紀の若者を表象する文化を少しばかり振り返っただけでも、ブリジット・ジョーンズのような1990年代TVブロンドがあらわれる前には、60年代には労働者階級の若者文化が脚光を浴びたのだし、さらにそれ以前の20年代には、今日では「衝動の共同体(a community of impulse)」(Patrick Balfour *Society Racket* 1933およびD. J. Taylor *Bright Young People* 2008)としてあらためて再定義されるようなブライト・ヤング・ピープルの存在があった。階級その他の社会的差異をモダンなポピュラー・カルチャーへの衝動によって乗り越えつつ横断的な結びつきによって大衆化の時代に対応しつつも、その大衆性は貴族的な上流階級の記号を帯びたものであった。旧来の解釈では(たとえばグリーン「太陽の子供たち」によるそれ)、この上流階級の子弟たちのコミュニティの空間に繰り広げられた退廃的でオシャレな若者文化は、第一次世界大戦に参加し戦間期の大衆メディアに「失われた世代」として神話化されるさらに一世代前の若者への遅れ(belatedness)から派生したものであり、その特徴のひとつは、オズワルド・モズレーの英国ファシズムと「太陽の子供たち」の中心人物ブライアン・ハワードの共産主義というイデオロギー的両極端にある双方に共有された世代特有の文化であった(6)。ブライト・ヤング・ピープルの衝動のコミュニティの特異性は、だが、下層中産階級や労働者階級の個人が抱くブルジョアジー・中産階級・シティズンへの社会流動性やミドルブラウ文化への志向とは異なるような大衆ユートピアの夢、言い換えれば、大衆化の時代にポピュラーなるものへの衝動によって再編制され階級格差の彼岸にむけてネットワークをなす集団性にもとめられるべきではなかったか[7]。

さまざまなモダニズムの誕生のオルターナティブ・ヴァージョンをブライト・ヤング・ピープルに探るときに忘れてならないのは、戦間期から第二次世界大戦を経た戦後英国福祉国家と世界的な冷戦状況においては、資本主義世界のマネーとパワー（通常覇権国の移動として論じられることが多い）が大英帝国からアメリカへと移動していることである。オーデン・グループではスティーヴン・スペンダーが、あるいは、留学生として資金援助を得て招かれ英文学とともにアメリカン・スタディーズを普及・教育する文化冷戦・プロパガンダのエージェントとなる一連の英国文化人・文学者が、それぞれのスタイルで、活発な文化的・イデオロギー的な実践を行っていたことにも注意しなければならない。念のために付け加えておくなら、1970年代にマーティン・グリーンが、F・R・リーヴィスの英文学の歴史伝統——独立自営農民（yeoman）の農業を基盤とした秩序を回復せんと試みたセンシビリティの統一——を、プリンス・オブ・ウェールズ（のちのエドワード8世）を奥の院に配置しながらもブライアン・ハワードとハロルド・アクトンという二人の貴族的かつコスモポリタンな若者を前景化した「太陽の子供たち」の文化によって、書き換えた行為を批判的に検討する際にポイントとすべきは、なにか。それは、第二次世界大戦後の冷戦期米国の研究・教育制度におけるミドルブラウ文化を誕生させる生産過程において「後期モダニズム（late modernism）」(Jameson）のイデオロギーを（サミュエル・ベケットとともに）具現し代表するウラジーミル・ナボコフを称揚した点にあったのだ。[8]そうした解釈行為により、英国の労働者文化の記号としての「怒れる若者たち」の文学・文化が否定したハワードとアクトンの文化伝統は、トランスアトランティックにナボコフの帝国アメリカのリベラリズムすなわち反全体主義・反共産主義に接ぎ木しながら読み換えられることが企図されたのではなかったか。[9]

とはいうものの、グリーンの「太陽の子供たち」による文学史もその一例にすぎないのだが、さまざまなモダニズムが誕生するのは一体どうしたことなのか、より具体的には、ヴァージニア・ウルフのテクストがトラウマ論によって読み直され、そのモダニズム概念も姿を変えてゆくような歴史がわれわれの前に立ちあらわれてくるのはなぜなのか、このセクションの最後に、少しだけ考えることでこのちょっと長めの補遺の議論を終えたい。

典型的な英国モダニズム作家ウルフの文学的評価に取って代わり、フェミニズムの新たな展開としてのトラウマ論の観点から、ウルフのテクストへの新たな関心が復活したことの意味は、フレドリック・ジェイムソンのきわめて短い示唆にしたがい、21世紀の現代にいたる資本主義世界における文学のそれを含む歴史一般とモダニティとの関連において、次のように考えてみることもできるだろう。トラウマ論によるウルフ研究は、いわゆる文学史におけるモダニズムの図式に『ダロウェイ夫人』をはじめとするテクストをあてはめて事足りるような分析・解釈では物足りないばかりかアクチュアリティを感じられない事態、別の言い方をすれば、一般的な時代区分のカテゴリーに依存して使用してしまうことに感じてしまう不満を立証するものなのだ、と（Jameson 104）[10]。と同時にここで、ポール・ド・マンの仕事（*Blindness and Insight* のたとえば "Literary History and Literary Modernity" にはじまり *Allegories of Reading* のルソー解釈にいたる）を思い返し、過去や未来から逃走していま現在の瞬間の存在への欲望を表象する近代以降の文学・テクストとの関係を断ち切ることのできない歴史についての問題がどのように扱われていたか、確認しておくのも有益だ[11]。

ド・マンはそれまでの研究・教育制度における既存の文学史やそこに通常みられるようなロマン主義やモダニズムといったものに対して批判的であり、そうした文学の歴史をそのまま受け入れるといったようなことなどなかった。誰もがこのことは知っているが、だからといって、彼の「リーディングのアレゴリー」あるいは解釈は、そうした文学史の時代区分をおこなう一般的な諸概念を、まったくのエラーあるいは誤ったアプローチとして、安易に弁証法的というよりはきわめて単純に拒絶してしまうことはなかった。言い換えれば、作品に密着した読解・「精読」によって望ましく正しい意味に到達できるとか、20世紀の個々のテクストに個別に接近することによって文学史上のモダニズムにおける一般的特徴によってはとらえきれないものを了解することができるのだ、などという主張がなされたわけではないということだ。モダニティに規定された文学・テクストに対して歴史的にリーディングを実践する者はだれでも、文学の歴史に対する真理を獲得できなかったりするしエラーをおこさざるをえなかったりする、すなわち、歴史から現在の瞬間へ完全に逃走することはできない、というのが一見反歴史主義的とみえた批評家が問題にしたことであったのだ。グローバル化がいろいろなかたちで進行し終わることがないかにみえる現代資本主義世界の文学・文化として、さまざまなモダニズムが誕生する、あるいは、英文学たとえばモダニズムの歴史が時と場所を変えながらも次から次へと読み直され書き換えられる、つまり、再定義・再生産されざるをえないのも、このようなド・マンのリーディング論に、そのからくりを探るヒントがあるのかもしれない。

最後の最後にもうひと言だけ。ディコンストラクションに結びつけられるド・マンの批評理論あるいは解釈が主張したのは、そうした歴史をめぐる問題、言い換えれば、再生産され続ける資本主義世界やその文学・文化の歴史的過程を認識しマッピングする行為がかかえる困難は、文学自体あるいは（主題的構造と修辞的構造からなる）テクストの全体構造であるアレゴリーに歴史的に規定されているのであってみれば、いわゆる文学史を構成するさまざまな時代区分の概念・カテゴリーから自由になって解き放たれることなどそもそもきわめてむずかしいことだったということになる。モダニズムといったような一般的な時代区分の概念を前提にしてそれらを用いながらテクストを取り扱うことなしに、たとえば、ウルフを生産的に意味あるかたちで読むことははたして可能だったのだろうか、脱構築し二項対立を突き崩す概念や歴史図式をまったく措定することなしにディコンストラクションの読解を実践することはできないのではないか。

Notes

◉ 本論の1から3までのセクションは、若干の字句の修正・変更を除いて、以下の論文に基づいている。大田信良「ヴァージニア・ウルフ『ダロウェイ夫人』と記憶／トラウマ論再考の可能性」『世界文学』128（2018）：14-21. なお、この論文自体に先立って、2018年度 世界文学会 第二回連続研究会:『時代と文学』2018年4月21日（土）14:00 ～ 17:45 於中央大学駿河台記念館で、口頭発表をおこなったことも付記しておく。

［1］ちなみに、「世界文学」における「英文学の特質」を「諷刺とヒウモア」に見出したうえで、20世紀の英文学の主潮とりわけ第一次世界大戦以降のそれを諷刺によって論じた福原は、以下のように述べている。「ヴァヂニア・ウルフ女史」の「『オーランドウ』（*Orlando*）は一讀直ちに諷刺文學であることが解るが、『ダロウェイ夫人』（*Mrs. Dalloway*））の中にある政治的諷刺は巧みに隠されてゐてなかなか注意され得ない。エムプソン氏（William Empson）はそれを我らに取出して見せてくれた」（福原 255-56）。なお、この諷刺・ヒウモア論は、福原の仕事のなかでも最重要なもののひとつとして福原本人がみなしていたようで、戦前および戦後においていくつかのヴァージョンにより繰り返し出版され流通しているが、もともとは「岩波講座・世界文學の中の一冊で、昭和八年四月に出版された」ことを付け加えておきたい。

［2］英米モダニズムとthe Armenian genocideとの関係については、Kalaidjianとはべつに、大田「ヘミングウェイとギリシャ・トルコ戦争」およびウルフ『ジェイコブの部屋』を取り上げたOtaも論じたことがある。また、Kalaidjianの主たる議論を構成しているのは、モダニズムというよりは、ポストモダニズム以降の現在における第三世代アルメニアン・アメリカンの詩人たちの評価にかかわっていることを付言しておく。

［3］地政学の空間による再解釈の可能性を探った本論のもうひとつ別の補遺も短く付け加えておきたい。資本主義世界のグローバルな地政学的空間において20世紀から21世紀に向かって主要なプレイヤーとしてますます力を発

揮することになる多国籍企業のトランスナショナルな移動や活動についても注目すべきではないか。たとえば、黒海とならんで、ユーラシア世界におけるヨーロッパとアジアの境界線をなしているのがカスピ海だが、この空間こそ、19世紀末の米国スタンダード石油とのライヴァル関係やロシア革命以降の激震地となり、さらには、ロシア革命から100年後におこったロシアによるクリミア併合やその後のウクライナを舞台とする戦争等々現代の国際紛争の舞台にほかならない。つまり、ユーラシアの地政学的力学の重要な空間に位置するのが、カスピ海だ。そして、ロシアのバクー油田がかつてあったことでも知られる、この空間から、19世紀の主要エネルギーであった石炭に取って代わることになる、石油を生産し輸送したのがロイヤル・ダッチ・シェルであるが、この英蘭合弁の多国籍企業について、ジェフリー・ジョーンズは、次のように述べている。

> 中国沿岸に展開する大規模なイギリス商社の大部分は、日本が外国企業に対して門戸を開放した際に日本に支社を設立した。…日本との貿易に特化していたイギリス商社はM. Samuel & Co.であった。…M. Samuel & Co.は石油事業への参入によって「改革」を果たした特別な事例であった。同社はアジア市場でロシアの石油を供給し自ら石油タンカーを取得し、1898年にはオランダ領東インドで自ら原油の供給を開始した。新たな「フリースタンディング」企業Shell Transport and Trading Co.がロンドンで上場され、その後、同社は油田、石油タンカー、給油事業を取得した。しかしM. Samuel & Co.は、新しい石油会社に必要な組織能力が欠けており、1907年にはオランダの競争相手Royal Dutch Petroleum社によって事実上買収された。そして合併交渉の結果、新「Shell グループ」がオランダとイギリスの60対40の所有比率の形態で2つの「持ち株会社」が誕生した。M. Samuel & Co.はマーチャントバンクとして営業を継続した。
> (ジョーンズ 88)

米国の経営学の通説やその英国に対する優越性にチャレンジしながら、英国の東インド会社以来の総合商社のしたたかな生き残り戦略や旧植民地でもあった発展途上国の近代化において果たした役割を再評価するのが、英国出身にしてその後ハーバード・ビジネス・スクールでも教えるジョーンズの基本的な研究スタンスである。英国の多国籍商社の歴史において、ロイヤル・ダッチ・シェルの意味を解釈するポイントは、なにか。ジョーンズによれば、19世紀の半ば過ぎに米国のペンシルバニアで最初に油井の採掘が成功して石油の生産量が急激に拡大したが、20世紀初頭まで、石油は主にランプ油や潤滑油として使用されていた、という。当時の主要な石油産出国は、米国、ついで、ロシアだった。多くの国々は輸入に依存せざるをえなかったのであり、結果として、アジアなどの地域で、この新しい商品を販売する機会が、ロイヤル・ダッチ・シェルのような商社に、訪れた（ジョーンズ 355）。ひと言でいえば、「近代石油産業の出現と発展の時期は、総合企業グループとなったイギリス商社の成長の時期と重なっている」（ジョーンズ 355）、そして、この典型的な事例となるのが英蘭合弁の石油会社の活動だった、ということである。

モダニズム期がモダナイゼーションの時代すなわち19世紀後半の大工場による工業化の時代と結びつけられるとすれば、ポストモダニズム以降の今日は、「ポストモダナイゼーション」（Jameson）と言ってもいい時代つまり原子力やサイバネティクスのテクノロジーによるイノベーションの時代であり、そこでは、主体化の装置やアイデンティティ形成の空間の修正をともないながら、旧来の生産や労働の様式・環境を劇的に変えてしまうメディアやコミュニケーションのテクノロジーが普及するようになった、といえるかもしれない。このような今日にいたる原子力やサイバネティクスのテクノロジーの1960年代以降の発展において、英国の多国籍商社がはたしたかもしれない役割について考えようとするとき、ジョーンズの以下のような天然資源の開発についての主張は意味深く示唆的である。英国商人は自国の商品を販売するために、最初は、海外に進出したのだが、すぐに彼らが進出した国の農産物だけでなく鉱物をも販売するようになった、と述べているからだ。いくつかの商社は、最初にインドで、ついで多くの国々で、貿易業から現地の製造業へと多角化していくのだが、さらにその後、天然資源（石油、あるいはまた、原子力やメディア・テクノロジーの諸原料を含む）にも投資をおこなうことによって開発を推進するようになった。「イギリス商社の多くが鉱物や、金、そして石油にも投資を行った。こうした投資の多く、とくにプランテーションや森林への投資が1960年代に商社の重要な事業の一部となった」（ジョーンズ 323）

話を地政学の空間についての議論に戻すなら、本論は、英国モダニズムの典型とされてきたヴァージニア・ウルフの『ダロウェイ夫人』を取り上げ、そこに提示されたthe Armenian genocideの断片的かつ徴候的な表象、言い換えれば、ユーラシア大陸の境界線における地政学的な対立としても解釈しうるトルコとアルメニアの関係ならびに第一次大戦後のリベラルな国際秩序の試金石ともいえるアルバニア問題について論じたのであるが、今後さらに、本論の射程を広げて今後の英文学というよりはイングリッシュ・スタディーズの集団的プロジェクトを企図するとするなら、冷戦終結後に間歇的に噴出するアルメニアと（バクーがあるアゼルバイジャンなど）その周りのいくつかの隣国との紛争が担うグローバルな地政学的意味をも、探ることになろう。その際、現代の英国の文化政策においても奇妙なしかし重要な役割を担っているグルベンキアン財団のはたした機能にも注目することにもなるだろう。この財団は、「ミスター5%」と呼ばれたアルメニア人カルースト・グルベンキアンの遺産に由来するものであった。

[4] 近年の英米モダニズム研究における「モダニズムのさまざまな『拡張(expansion)』」のレヴューとその批判的検討については、『アール・デコと英国モダニズム――20世紀文化空間のリ・デザイン』の序章として書かれた菊池をみよ。

[5] とはいえ、家族の問題あるいはそのイメージがいまだに現実には存在する国家主義・愛国主義との関係において有するうんざりしないでもない厄介なところは、ネオコンサーヴァティズムや原理主義的宗教を提唱するグループが、あるいは、経済的にはネオリベラリズムを推進しながら政治的道徳的には保守派の立場に立つ人びとが、現代の資本主義にはたしかに存在しており、そうしたグローバル化やネオリベラリズムへの反動形成ともみなすことができる動向は、夫婦別姓・同性婚・性的マイノリティへの差別やバッシングとして、実際に、あらわれてくるところであろう。

[6] さらにまた、オーデン・グループやブルームズベリー・グループというよりはオルダス・ハクスリーの影響を受けたとされる「オクスフォード大学才人（Oxford Wits)」から、「ヘリテージ産業」という文化プロジェクトをアナクロニスティックに具現したかにみえるイーヴリン・ウォーやジョン・ベッチマンまでをも含むような、さまざまな若者グループやアイデンティティ集団を横断し重層的にシェアされる関係性にも注目すべきであろう。

［7］ただし、衝動のコミュニティとして、近年、再定義される、ブライト・ヤング・ピープルのみたところ階級性から逃走したかのように多様性に富んだメンバーたちを結びつけるのは、政治的なものではなく、文化的なものとされていることには、注意しておかなければならないだろう。より適切な言い方をするなら、彼ら彼女らの絆となるのは、「生の総体（a whole way of life）」としての文化（T・S・エリオット）というよりは、Taylorによれば、「たがいに共有される政治的・社会的態度あるいは経済的身分(a shared political or social outlook or an economic standing)」(Taylor 31)から分離・切断された「ライフスタイル(a communal view of the life they led)」（Taylor 16）であった。

［8］最終章であるChapter 11 "Confessions and Conclusions" は以下のように閉じられている。"My old sense of what the critic's job is –to discover and be in the thick of the crucial debate of the time – is as strong in me as ever. So I am no more attracted to Auden and Lewis and Tolkien than I ever was. It is not they but Nabokov who hold the key to the locked door of England's dungeon. I hold on to that sense as some promise that my own development is not leading me up and out into a self-designed empyrean"（Green 431).

［9］また、21世紀の英国における英文学の状況に目を向けるなら、Marina MacKayおよびその追随者たちが次々と生産しつつある仕事の意味は、冷戦終結後の21世紀に入って、Greenと同種の英米リベラリズムの伝統を継承しながら、またも新たな英国版「後期モダニズム」として、再編し再発明することにあると解釈できるのではないか。

［10］この不満を抱くのはいいとして、そして、おのれの有能な「精読」・読解を無能な批評・解釈をもとにしてでっち上げたできの悪い文学史・できの悪い歴史に対置するのはいいとして、そのような一般的な時代区分をおこなうのに必要な一般的カテゴリーとテクストを突き合わせることを暗黙のうちにでも前提とすることなしに、はたしてウルフやモダニズムのテクストを生産的に読むことができるだろうか、とJamesonは疑問を提示したうえで、そうした場合に取りうる問題解決の可能性について、一応は、次のように示唆してみせる。モダニズムのテクストがそれ自体を超えてはなにも意味しないつまりなにか別のもののアレゴリーになることはないという立場をとってそうした疑問に答え、全き経験主義・実証主義によって問題を解決したことにすることができるかもしれない。だが、こうした解決の仕

方は、Jamesonによれば、ミシェル・フーコー『言葉と物』における「超越論的－経験的二重体」をめぐる、あるいは、資本主義における物象化の兆候としての価値と事実もしくは意味と偶発性の間のギャップをめぐる、哲学的・認識論的危機を回避してすますことになる、言い換えれば、モダニティに規定された歴史や認識の問題解決にはならない（Jameson 104-5, 231）。

[11] この箇所で提示する議論は、20世紀末から21世紀初頭にかけてネオリベラリズムに連動して支配的な言説となったモダニティ論を弁証法的に批判すると同時にそのユートピア的再配置に向けて亀裂や矛盾を探ったJamesonがおこなった、ド・マンの仕事の理論的読み換え・強力な翻訳の作業に負っている。ド・マンの「リーディングのアレゴリー」とJamesonの「イデオロギーの形式分析」とは、グローバル化がさまざまに拡張・転回する資本主義における物象化（reification）・主題化（thematization)の解釈という点で、共通しており相互に翻訳可能である、と私は考えている。この二人の仕事については、拙稿「『読むことのアレゴリー』と倫理の問題／『エコノミーにおける転換』」も参照のこと。

Works Cited

Empson, William. "Mrs Dalloway."『英語青年』68.6(1932):182-83.

Green, Martin. *Children of the Sun: A Narrative of "Decadence" in England after 1918*. Basic, 1976.

Jameson, Fredric. *A Singular Modernity: Essay on the Ontology of the Present*. Verso, 2002.

Kalaidjian, Walter. "The Edge of Modernism: Genocide and the Poetics of Traumatic Memory." *Modernism Inc.: Body, Memory, Capital*. Ed. Jani Scandura, and Michael Thurston. New York UP, 2001. 107-32.

MacKay, Marina. *Modernism and World War II*. Cambridge UP, 2007.

Ota, Nobuyoshi. "Generations, Legacies, and Imperialisms: The Greco-Turkish War and Jacob's Room." *Woolf: Across the Generations Selected Papers from the Twelfth International Conference on Virginia Woolf*. Ed. Merry M. Pawlowski, and Eileen Barrett. Bakersfield: Center for Virginia Woolf Studies at California State

University, 2003. 55-62. ＜http://www.csub.edu/woolf_center＞.

Tusan, Michelle. "Genocide, Famine and Refugees on Film: Humanitarianism and the First World War." *Past and Present* 237(2017): 197-235.

Woolf, Virginia. *Mrs. Dalloway*. 1925. Hogarth, 1980.

大田信良「金貨のポリティカル・エコノミー——帝国の文化とブルームズベリー・グループ」『転回するモダン——イギリス戦間期の文化と文学』大田信良ほか編著、研究社, 2008年、337-59.

——「セクシュアリティのフィギュレイション」『ヴァージニア・ウルフ研究』10(1993):62-66.

——「ヘミングウェイとギリシャ・トルコ戦争」『英語青年』145. 5(1999): 27-29.

——「『読むことのアレゴリー』と倫理の問題／『エコノミーにおける転換』」一橋大学大学院言語社会研究科『言語社会』第13号(2018): 38-50.

大谷伴子『秘密のラティガン——戦後英国演劇の——のトランス・メディア空間』春風社、2015年。

菊池かおり「20世紀文化空間を、今一度、考える——アール・デコと英国モダニズム」菊池かおり・松永典子・齋藤一・大田信良編著『アール・デコと英国モダニズム——20世紀文化空間のリ・デザイン』小鳥遊書房、2021年.7-18.

佐々木雄太・木畑洋一編『イギリス外交史』有斐閣、2005年。

ジョーンズ、ジェフリー『イギリス多国籍商社史19・20世紀』坂本恒夫ほか訳日本経済評論社、2009年。

福原麟太郎「英文學に現れた諷刺とヒウモア」『英文学研究法』新月堂、1952年. 225-62.

細谷雄一『大英帝国の外交官』筑摩書房、2005年。

三浦玲一・早坂静 編著『ジェンダーと「自由」——理論、リベラリズム、クイア』彩流社、2013年。

第6章

"Artists, archaeologists, architects, etc. prefer Shell"
——1930年代の英国文化と国際石油資本シェル

菊池 かおり

1. 1930年代英国文化の再考と再編の可能性

1930年代英国モダニズムの再考／再編が、ここしばらく継続的におこなわれているが、その契機の一つとなったジェド・エスティの『縮みゆく島（*A Shrinking Island*）』（2004）に準えるのであれば、それは帝国としての拡張力を失い、グローバルからローカルへと関心を移して、ナショナル・アイデンティティの再認・再構築に偏重した、内向きの「人類学的指向（anthropological turn）」を背景として、ナショナル・カルチャーを再想像した文化潮流「レイト・モダニズム」に着目した研究や、その時間軸を30年代から60年代へと拡張して発展する昨今の「ミッド・センチュリー・スタディーズ」といった研究の隆盛とも捉えられるだろう。そこでは、これまで語られてきたような、正典を中心として構築される文化史——つまり、「モダニズム＝コズモポリタニズム、リーヴィス主義やオーデン世代のアンチ・モダニズム＝プロヴィンシャリズム」（河野 164）という図式——から取りこぼされたモノに焦点があてられる傾向がある。

> If we think of the canonical work of the 1930s it may not be old walls and weather that come first to mind. It was the age of Auden, and defined by him as that "low dishonest decade" of "clever hopes" and failed interventions; its literary culture was one of socialist politics, borderlands, ports and industrial ruins. There was also, though, a culture fascinated by the decline of aristocracy and the symbolism of the country estate, interested in the future

of village churches, and drawn to the Romantic tradition in the arts . . . [which] entailed sustained commitment to distinct aesthetic values, ways of living, and ways of looking at England. (Harris 12)

「オーデン世代」と称される若手の詩人や批評家、そして彼らの社会主義思想によって彩られてきた30年代の文学史から除外されてきた文化、もしくはその周縁に追いやられてきた文化、たとえば「貴族階級の没落」や「カントリーハウスの象徴主義」によって掻き立てられた文化に着目してみると、その文化形態は多岐にわたるものの共通して「英国性」に対する傾倒がみられるというのである。だとすれば、このような議論は、下手をすれば、「オーデン世代」と相対化される文化潮流を、のっぺりとした「ロマンティック」の一語で覆いつくしてしまう危険性を孕んでいるのではないか。また、そもそも、30年代を内向きへの転換という歴史認識だけで十分なのだろうか、という疑問は避けられないだろう。

そこで本章では、1930年代の英国文化を再考する上で、国際石油大手資本シェルとの関わりに着目したい。日本でも貝殻マークでおなじみのシェルが、ロシア産の原油で得た利益をウクライナの人道支援基金へ回すことを表明したのは記憶に新しいが、実は、1930年代の英国文化と深く関わっていたことについては、それほど知られていないのではないだろうか。本章タイトルの一部を成すフレーズ“Artists, archaeologists, architects, etc. prefer Shell”は、当時、シェルの広報活動の一環として展開されたポスター政策で用いられたもので、その政策には分野の垣根を越えて多くの人が携わることになったわけだが、そのなかには、モダニズム文学の正典として読まれてきたヴァージニア・ウルフの姉であり画家であるヴァネッサ・ベルや、彼女たちと共にブルームズベリー・グループの一員であったダンカン・グラントの名前も含まれている。さらに、そのポスターが展示された1934年の展覧会に対しては、英国の文学雑誌『ホライズン（*Horizon: A Review of Literature and Art*）』の編集者としても名高いシリル・コノリーが好意的な批評を書いている。そして、その批評が掲載された月刊誌『建築批評（*Architectural Review*）』は、モダニズム建築の理念と実践を推奨したことでも知られているが、その編集を手掛けたのは、ヴィクトリアン建築の熱心な擁護者とも称されるジョン・ベッチマンであり、彼も、また、シェルがスポンサーとなって刊行されたガイドブック『シェル・ガイド（*Shell Guides*）』の編者であった。では、このような石油資本シェルと英国モダニズムの関わりを通して浮かび上がることとは何なのか。本章では、ナショナルな、内向き指向の英国文学・文化研究において取りこぼされてきた文脈として、シェルとの関わりを紐解きながら、今一度、30年代英国文化を再考・再編する意義を考えてみたい。

2．多国籍企業シェルの誕生と戦間期の躍進

まず、シェルとはいかなる企業なのか――30年代の英国文化との関わりを考える上で必要と思われる事柄に絞って確認しておくこととする[1]。現在、英国に本社を置くシェルは、2021年までロイヤル・ダッチ・シェルという名のもと英蘭にまたがる株式の二重構造を維持してきたが、その企業体制は1907年に英国のシェル運輸貿易とオランダのロイヤル・ダッチが、前者40％・後者60％の持ち株比率で企業提携したことに端を発する。

このような多国籍企業シェルが誕生した背景には、世界各地で米国ロックフェラー系のスタンダード石油との熾烈な利権争いがあったからにほかならない。スタンダード石油は、現在の石油最大手、スーパー・メジャーの一角を担うエクソンモービルの前身であり、1880年代末にはヨーロッパの主要市場における4分の3の販売シェアを維持していた。その一方で、1870年代以降、急速に発展を遂げたロシア石油産業の中心地帯である、バクーの石油権益を獲得したロスチャイド家は、ロシア石油の最大輸出業者となり、ヨーロッパでの販売促進とともに東洋市場への進出を企てた。その結果、1891年に、9年間を期限として、ロシア石油の独占販売契約をシェルの創設者で貿易商のマーカス・サミュエルと締結した。そして、これを契機として、シェル運輸貿易が設立され、東ボルネオでの油田開発に着手することとなったのである。つまり、東洋市場は、米国とロシアの石油、スタンダートとシェルの資本によって支配されることになったわけだ

が、そこに強力な新勢力として登場したのが、オランダの石油会社ロイヤル・ダッチである。オランダ領の東インド（現インドネシア）に属するスマトラ東海岸で生産される原油を精製するため、パンカラン・ブランダンに製油所を完成させたロイヤル・ダッチは、アジア・オセアニア向けの輸出拡大に成功し、米国のスタンダードと英国のシェルと熾烈な販売競争を繰り広げることとなった。ただ、その水面下では、利権拡充のため、互いに、提携先の模索が続き、最終的に、ロイヤル・ダッチとシェルが提携合意に至ったのである。

このようにして、米国の石油資源を基盤とするロックフェラーのスタンダード・グループと東南アジアの石油資源を基盤とするシェル・グループの二大勢力が確立されると、その後、相次いで国際石油企業が設立され、七大メジャーズを中心とする国際石油産業の体制が整い、「エネルギーの時代」が幕を開けることとなる。たとえば、1908年にペルシャ（現イラン）で最初の油田が発見されたことを機に、1909年にブリティッシュ石油（現在のBP）の前身であるアングロ・ペルシャ石油が設立される一方で、米国ではテキサスやカルフォルニアでも新しい油田が発見され、スタンダード・グループ以外にもガルフ石油などの国際石油企業が設立された。これらの国際石油企業の発展の裏には第一次世界大戦があったことは容易に想像がつくだろう。19世紀の需要は、灯火用のケロシン（灯油）と潤滑油とに限られていたが、第一次世界大戦において飛行機や戦車などが活躍したことで、石油が軍事的・政治的戦略においてきわめて重要な物資であることが世界的に認識された。そして、戦後の急速な近代化と第二次世界大戦を経て、石油の重要性はさらに高まり、「エネルギーの時代」と称される20世紀において石油問題は、企業の問題ではなく、国際経済上および国防上の問題として取り扱われるまでに至ったのである。

3．芸術と広報
——パトロン、そしてクライアントとしてのベディントン

このように20世紀の覇権問題を映し出す国際石油産業の体制、その一角を担うシェルと英国モダニズムとの関わりはいかなるものか。その関係性を紐解く上で重要な鍵を握るのが、英国におけるシェルのフロント企業であるシェル・メックスの広報マネージャー、ジャック・ベディントンの存在である。オクスフォード大学卒業後、第一次世界大戦期の兵役を経て、シェル・グループの中国支社であるアジア石油に9年間赴任したベディントンが、1928年、シェル・メックスの広報マネージャーに着任すると、彼の指揮下において、71枚にもわたるポスターが制作された。その制作を依頼された、ヴァネッサ・ベル、ダンカン・グラントや、ポール・ナッシュなどは、当時、第一線で活躍する芸術家たちであり、ポスターは広告というよりも一つの絵画のような印象を与える【図1、図2、図3】。実際、それらのポスターが展示された1934年の展覧会名 “The Exhibition of

【図1】
Alfriston by Vanessa Bell (1931)

【図2】
St. Ives, Huntingdon by Duncan Grant (1932)

【図3】
Kimmeridge Folly Dorse by Paul Nash (1937)

Pictures in Advertising by Shell-Mex and B.P. Ltd"に「ポスター」ではなく「絵画」という言葉が用いられているように、シェルの広報活動は芸術性を前面に押し出したものだったのである。

芸術を介した広報活動は、決して、シェルによってはじめられたことではない。ロンドン運輸局の前身である、ロンドン交通公社の広報マネージャー、フランク・ピックが主導したポスター政策では、既に、多くの芸術家やデザイナーが起用され、そのポスターは銀縁の額に収められ、まるで美術館のように、地下鉄駅構内の通路に一定の間隔で展示されていた(菅 40, 41)。大衆向けの芸術教育という大義のもと、商業活動を美化するだけではなく、自社の文化的・社会的価値を高めるという結果をもたらした、ピックのポスター政策に準えて、ベディントンがシェルの広報活動を構想したことは疑いの余地もない[2]。ただ、1934年に開催されたシェルの展覧会に訪れたシリル・コノリーにとって、そこは芸術と産業が手を取り合って作り上げる新たな時代の幕開けを意味する場として映ったようである。

> It would seem unusual at first sight to develop so much space to what appears to be a purely commercial function, but this exhibition in reality is much more significant, for it marks the beginning of a new era in the relations of creative modern art and big business. . . . The founts of patronage now flow from business houses, and none of these merchant princes have realised their responsibilities more than Shell. Looking at this exhibition one

might consider them as setting out to be the Medici of our time, with Mr Beddington, whose judgement it respects, as Lorenzo. (Connolly 2)

イタリアのルネサンス期において、優れた政治・外交能力を発揮し、芸術のパトロンとしても、絶大な影響力を保持したロレンツォ・デ・メディチに準えて「新しいメディチ」とまで称されたベディントン――このような、コノリーの評価には、産業革命以降の芸術性の衰退を嘆く英国の歴史と30年代の経済状況が背景にある。美術批評家であり画家であったロジャー・フライは、『芸術と商業（*Art and Commerce*）』（1926）において、既に、産業活動を芸術活動に転換するような契機がポスターに内在すると論じていたわけだが（21）、こうした見解は、世界的大恐慌によりさらに推し進められることとなった。なぜならば、「純粋芸術家よりも収入の見込みが高い広告デザイナーに転向する必然性が経済的に生じた」ため、「『デザイナー』と『芸術家』との心象境界線があいまいになり、芸術家の側から今まで以上に商業芸術が正当化された」（菅 40）からである。

他方、別の側面も理解しておく必要があるだろう。それは、芸術と経済の癒着とも捉えられる関係性である。たとえば、コノリーのベディントンに向けた賛辞を読み返してみれば、そこにはクライアントの要望に応じて芸術が商品化されるという経済活動の視点が組み込まれていないことに気づかされる。

What Connolly failed to note in his paean to Beddington was the issue of the artist's disinterest – a key term in the professional lexicon, an indicator of financial integrity and ethical probity that demonstrates the professional's uncompromised commitment to the public good. (O'Donnell 150)

純粋に芸術と向きあうためではなく、利害関係によって結ばれた契約である以上、芸術の公益性といった問題は避けて通れない。たとえ、シェルのポスター政策が、エリート主義的なハイ・カルチャーに対抗して、大衆の芸術的感覚を培う上で、民主主義的見地にもとづいた教育的意義が認められていたとしても（菅 40)、その芸術性は、純粋に芸術に向き合う行為のみならず、クライアントの意思・意図を反映させた産物でもある。つまり、穿った見方をすれば、シェルの資本を介して芸術・文化が生産され、企業のブランド価値を高めるための資源として活用されたとも解釈できるのではないだろうか。

もしそうであれば、制度化されたモダニズムの系譜にゆらぎが生じるように思われる。シェルのポスター政策に参加したヴァネッサ・ベルの息子、クエンティン・ベルによれば、30年代は、ファシズムの台頭の影響もあり、ブルームズベリー・グループが経済的に「存続の危機」に直面していた時期であり（Quentin Bell 86)、彼の父で、芸術評論家のクライヴ・ベルは、シェルの経済基盤によって再生される芸術のあたらしいかたちを好意的に捉えていたようである。

> This is the nearest we have yet come in the modern world to popular art. If that marriage between art and humanity is to be consumed, it will be means such as this and not by academics and "arts and crafts", old-world pageants, semi-detached Tudor mansions, extension lectures and dancing round the maypole. (Clive Bell 946)

19世紀から続く芸術と産業の問題を示唆しながらも、芸術の復興にとって必要なことは学問でも伝統的なコミュニティでもなく、現代社会における企業がつくりだす、あらたなかたちの連帯であるという、ベルの考えは、その言葉選びからも見てとれるように、F. R. リーヴィスの『大衆文明と少数文化（*Mass Civilisation and Minority Culture*)』(1930）を意識したものだと思われる。だとすれば、大衆文化の普及によってもたらされる「標準化（standardization)」とそれに伴う「水準の低下（levelling-down)」に対抗して、英文学の正典を中心とした「少数文化」によって守られる「有機体的な社会（organic society)」の復興を主張するリーヴィスとは、真逆のベクトルに向かった見解が示されていることになる。

リーヴィスではなくベルの視点を通して、つまり、シェルの広報活動を

【図4】Faringdon Folly, by Lord Berners (1936)

介して英文学史を再考するならば、これまで切り離されて考えられてきた文化潮流の交差が前景化することにも気づかされる。たとえば、リベラリズムの系譜で読まれてきたブルームズベリー・グループに属した画家たちが、シェルのポスターを制作していたことは先に言及した通りだが、実は、「ブライト・ヤング・ピープル」の一員として知られるロード・バーナーズも、シェルのポスター政策に協力していたばかりか【図4】、隣人で友人のベッチマンが編集を手掛けた『シェル・ガイド』にも携わっていたのである。[3]つまり、従来の文学史において20年代のハイ・カルチャーとポピュラー・カルチャーを代表するような二つの相反する文化潮流が、シェルというグローバルな金融資本を介して交差することが透けて見えるだろう。

だとしたら、このような矛盾と奥行きのある30年代英国文化の空間を前景化するシェルのポスター政策に関して、もう一つの疑問が生じることになる。それは、なぜ、ことなる文化潮流に属する芸術家を起用しながらも、一貫して、田舎や自然を連想させるポスターが制作されたのか、ということである。そこで、次に、20年代に展開されていた凡庸な広告に不満を抱いていたというベディントン（Artmonsky 18）、彼によって主導されたポスター政策にみられる田舎や自然といったモチーフに隠された戦略を読み解くことで、グローバルな石油資本とモダニズムの関係性をさらに紐解いていきたい。

4. 自然と広報――風景画から排除されたモノとは

まずは、ベディントンが批判した20年代の広告にみられる特徴を確認しておくこととしよう。1920年代には、「ローリービル（lorry bill)」として知られる、石油給油車の側面にポスターを貼るという、独自の宣伝活動が展開されていたが、当時のポスターは、田園風景を題材とした「絵画」のような、芸術性の高い30年代のポスターと違い、商品を前面に打ち出す手法が主流であった【図5、図6】。ガソリンや灯油缶などの商品、その品質の高さを謳うフレーズが目を引く一方で、そこに描かれる人物像に目を向けてみると、特定の顧客層、つまり中産階級を対象とした広告であったことがが伺える。

では、なぜ、このような20年代の広告から一転して、30年代の田舎や自然をモチーフとした「絵画」のようなポスター戦略へと移行したのだろうか。ここで重要になってくるのが、戦間期の田舎や自然といった英国の原風景を取り巻くパラドクスではないだろうか。1920年代、戦後の大衆需要の劇的な増加とともに推し進められた近代化、その波は戦前から続く都市計画を通して地方へと次々と押し寄せ、それに対する反発感情がさまざまなかたちで噴き出したことは、よく知られているだろう。その近代化の波とは、たとえば、ウィリアム・モリスやエベネザー・ハワードの議論が具現化していく様相であり、19世紀後半から続く都市住宅・公衆衛生の問題、そして、戦後、兵士の帰還にともない高まる住宅需要を受け、時の首相ロイド・ジョージが掲げたスローガン「英雄たちに住宅を（homes for heroes)」のもと促進された郊外の宅地開発や公営住宅の建設ラッシュ、さらに、それにともなう道路の拡張や交通の整備を含めた、総合的な都市・地方計画であった。このような政策は、1970年代の石油ショックを契機とした経済の停滞期において、放棄されてしまうわけだが、第二次世界大戦後の復興事業へとつながる大きな一歩であった。そのため、このような近代化の波は、環境破壊への懸念から、19世紀末に創設された民間団体ナショナル・トラストだけではなく、その他にも、自然保護や地域の保全な

【図5】Buy Shell Oil This Way by Shell Studio (1926)

【図6】Recommendation by H. M. Bateman (1924)

どを目的とした団体の活動を助長したわけである（Kirkham 89-113）。

このような反発感情と表裏一体にあるのが、近代化とともに掻き立てられた自然回帰の願望であり、その願望を反映させた観光産業の発展である。当時、鉄道や大型バスなどで、一時に、大量の旅行者の移動をともなうマスツーリズムと並行して、自動車による個人旅行は多くの人びとを魅了した。20世紀初頭、個人旅行向けに湖水地方の案内を書いたG. D. アブラハムは、その楽しみを次のように描いている。

> There is a fine spirit of adventure in leaving the beaten tracks and pushing forth into the wild unknown. It takes one up into a land of grey rocks and purple heather, amongst the emerald bracken sheen, with fiery life beneath us ever respondent to skillful touch of hand or foot and over all the glory of open sky and soaring summit. (Abraham 235)

つまり、日常生活や大衆向けに開発された観光地ではなく、「未開拓なる、未知の領域」への「冒険」を追求したいという、「ロマン主義的精神」に応答した近代的な乗り物が自動車だった、というのである（吉川 216）。そうであるならば、自動車の大衆化が急速に進んだ30年代は、その精神が大衆へと継承されていった時期とも捉えられる。その一方で、自然が観光産業の貴重な資源となることで、環境破壊に対する懸念が高まったのも、また、事実である。つまり、ナショナル・トラストが、自然の景勝地や歴史的建築物をはじめとした伝統的な環境を、その名の通り、「国民の財産」として保護・保全してきたのであれば、そのような文化遺産が文化資源としても広く消費されるようになっていったのが30年代だ、とも言えるだろう。

このような自然を取り巻くジレンマを巧みに援用したのがシェルの広報活動であり、自社のブランド力を強化するための戦略である。たとえば、自動車が近代都市計画や近代ツーリズムの象徴であるならば、その原動力であるガソリンの広告が反感を買うのは避けられないわけで、シェルも地方の環境・景観保護を目的とする団体（Council for Preservation of Rural England、通称CPRE）からの猛抗議を受けて、田舎道に立てた看板を撤去することとなった（Sheldon 115）。その一方で、一見すると敵対関係にあるCPREに対して経済的支援をはじめることで、逆に、環境保全に取り組む会社、というレッテルを買い、社会における「リスペクタビリティ」を享受したのである（Heller 207）。つまり、21世紀に入り、「SDGs」という言葉が浸透した今、随所で目にするような、スポンサーシップを介した企業戦略が、すでに、当時のシェルの広報活動から見てとれる。

【図7】Ullswater by D.C. Fouqueray (1925)

さらに、自然や芸術という付加価値をつけることで企業のイメージを確立させるシェルの広報戦略は、20年代と30年代のポスターを比較することでも透けて見える。たとえば、30年代のポスター政策で活用されたフレーズ、“See Britain First”は、1925年のポスターにも使われているが【図7】、30年代に制作されたものと比較すると明らかな違いに気がつく。それは人物の描かれ方であり、25年には自動車で訪れた中産階級の観光客らしき人物が描かれているが、30年代に入るとその姿はみあたらない。この変化は、自動車の普及率向上に伴う顧客層の拡大を裏づけるものとも捉えられるが、別の意図が隠されているとも読み解ける。

> What are . . . absent, or at best marginal, are any references to labour or to a social order other than of the vaguest kind. For this is a timeless world given not produced. . . . It was this human activity, this labour, this process of transformation that the notion of “nature” did not acknowledge in the 1930s. The set of relations within which “nature” was produced was structured around precisely this exclusion of any references to capitalist relations of production and the social order they produced. (Hewitt 132)

つまり、資本主義社会を彷彿とさせる要素を削除することによって、普遍的な「自然」、そして伝統的な「田舎」のイメージを、意図的に、創り上げていたというのである。だとすれば、階級を超えて多くの人びとを魅了する風景を介して売り出されたのは、商品ではなく企業のイメージであり、衰退の危機に直面する田舎を、自然を、そして芸術を守るという企業のブランディング戦略の産物だった、と言えるだろう。

ここで、「絵画」のようなポスターによるイメージ戦略と並行して、自動車での旅行者向けガイドブック『シェル・ガイド』が刊行されていたことにも注目したい。なぜならば、これら二つの広報活動を介して、大衆は欲望だけではなく、その行動までも操作の対象として捉えられていた、ということが見てとれるからである。ポスターが、どこか懐かしくもあり、「未開拓で、未知の領域」のようにも見える場所へ足を運びたいという「冒険精神」を掻き立てるのであれば、その精神を充足するために必要なガイドブックと、その原動力となるガソリンを提供するという、経済的効果に紐づいた広報戦略が伺える。その意味では、『シェル・ガイド』に取り上げられた地域が、ロンドンより南方の自動車保有率が高い地域に偏っていたことも頷けるだろう。つまり、普遍的な原風景をモチーフとした、絵画のようなシェルのポスターが、鏡のように反射させるのは、資本主義社会を牽引すると同時に、それによって支えられる企業の姿であり、芸術や自然を隠れ蓑として大衆の操作を試みるしたたかさ、なのかもしれない。

5．シェルの広報活動と資本主義社会の空間ネットワーク

実際、そのもくろみは、30年代の広報戦略の経済的背景を理解することで、より一層、浮き彫りになる。ベディントンが広報マネージャーに着任する直前、石油産業の歴史において一つの契機となったアクナキャリー協定が締結されており、その恩恵を受けて30年代の広報活動が展開されたと言っても過言ではない。その協定とは、インドにおけるシェルとスタンダード石油の販売競争に端を発した世界的な石油販売競争を収拾するために、前記の二社およびアングロ・ペルシャ石油の三社間で結ばれた石油

の生産、販売、輸出に関する取り決めで、正式名は「1928年9月17日のプール・アソシエーション」だが、協定締結の場がシェルのオランダ人社長ヘンリー・データーディングの居城がある英国のアクナキャリーであったことから、アクナキャリー協定と呼ばれている。この協定では、当時の各社売り上げ比率を維持するため、総消費量が増加した場合には、その増加分を、上記売り上げ比率を基に配分することが取り決められたため、30年代の世界的な経済不況においても、石油産業では、競争が激化することはなかった。その結果、シェルは、20年代のような商品販売を目的とした広告ではなく、企業のブランド力を高めるための広告に転換することができたとも言える（Hewitt 126）。しかし、穿った見方をすれば、そのような広報活動を可能にした、シェルの安定した経済基盤は、大きな意味では、西洋の大手資本による資源の搾取と独占主義によって担保されたものだった、とも言えるだろう。だとすれば、30年代におけるシェルのポスター政策で、意図的に、画角から排除されたのは、モダナイゼーションを介して発展した資本主義だけではなく、それを支える西洋の独占主義とも考えられるのではないだろうか。

実際、独占主義を根底とした資本主義社会の空間ネットワークが、シェルの映像を使った広報活動を通して透けて見ることができる。たとえば、30年代にベディントン主導で立て続けに制作されたドキュメンタリー映画の一つ*Contact*（1933）は、英国を出発した旅客機が、海を渡り、いくつかの大陸を超えて、夕暮れ時に戻ってくるという、およそ20分間の物語を介して、民間機の利用を促す目的で制作されたが、プロデューサーは当時を振り返りながら、「人類の空間と時間の新たな征服（Man's new conquest of space and time）」を暗示するものだったと説明している（Rotha, 72）。さらに、その旅客機の名前に、英国人の祖先であるアングロ・サクソン人の伝説的指導者といわれるヘンギストの名が使用されていることや、アジアやアフリカ大陸を上空から視覚的に掌握する航路に目を向けると、ナショナル・アイデンティティの再認や大英帝国の再編が、モチーフとして浮かび上がってくる（Heller 205）。つまり、モダナイゼーションによって可能となった時空間の質の変容、またはデヴィッド・ハーヴェイの言葉を借りれば「時間と空間の圧縮（time – space compression)」が、英国中心主義のイデオロギーとともに映し出されており、帝国として拡張力を失って衰退する30年代の英国が、石油産業をめぐるグローバルな規模での覇権争いを背景として、再度、中心に自らを位置づけようとする試み・意識の表れとして読み解けるのではないだろうか。

さらに注目したいのは、このような、帝国主義にもとづいたグローバルな時空間の再編を示唆するシェルの広報活動は、先に論じたような、ナショナルな風景を用いた政策と同時期に並行して展開されていたということである。なぜならば、その連動性を介して、現在につながる資本主義社会の空間問題へとつながる文脈がみてとれるからである。1989年の東西冷戦の終結を受け、90年代に急速に進んだグローバル化、この発達過程において運輸通信技術の革新・普及が促進されたわけだが、そこでは、投資や貿易の拡大を図るために、ある意味で、帝国主義的に世界空間が再領土化されながら、均一化するグローバリゼーションが進行すると同時に、昨今の「Go Toトラベル」にもつながるような、ローカリゼーションという差異化が進行することで、現在の社会が抱える不平等や格差問題へとつながる空間の問題が生じたのである[4]。そして、90年代以降にもてはやされたグローカルな帝国主義のイデオロギーを先取りしたかのようなシェルの広報活動には、先に論じた通り、差異化の記号として、ある意味では、搾取され、延命されたともとれるモダニズム文化の姿が透けて見えるわけだから、資本主義が行き詰った今こそ、逆照射的に、30年代の英国文化と経済の交わりを多角的に検討することが希求されているのではないだろうか。

1989年アラスカでの原油タンカー、エクソンバルディーズ号の座礁による原油流出事件の直後、英国で放映されたCMに、30年代のポスター政策で使われたフレーズ “Everywhere You Go You Can Be Sure of Shell” を見つけることができる。そこでは、大地をかき分け、海を越えながら、ナショナルに、そしてグローバルに移動することの魅力が画面いっぱいに映し出される（Hewit 121)。つまり、まるで地球規模で甚大な被害を与えた事件をかき消すかの如く、環境問題との関わりに蓋をしながら、現代の生活基盤を提供する企業イメージが強調されるわけである。日本では、「この木、何の木、気になる木」という歌詞でおなじみの日立のCMも同じようなことが言えるだろうか。企業イメージを介してブランド力を高める手法は現代社会において定番とも思えるが、その裏に隠されたモノを読み解く努力を怠ってはいけない。なぜならば、たとえば、30年代に発表されたシェルのポスターを表面的に眺めることは、ナショナルな景色を支えながらも不可視化された資本主義の空間ネットワークを見過ごすことであり、ハイ・カルチャーとポピュラー・カルチャー、保守とリベラルといった、相反するイメージがせめぎ合い、交差しながら織りなす30年代の英国文化を、現在のグローバルな資本主義につながる文脈から切り取る行為にほかならない。つまり、30年代の英国文化を、世界恐慌によって自由主義経済の信頼が地に落ち、反比例として社会主義思想が普及したという単純な図式ではなく、その水面下において、グローバルな資本と結びつきながら存続・延命したモダニズム文化の系譜を取り入れて読み解くことこそ、21世紀の私たちに求められていることなのかもしれない。

Notes

[1] 本稿のシェルに関する歴史的事実は以下を参照のこと：Jonker and Zanden, *From Challenger to Joint Industry Leader, 1890-1939*；*Bamberg, The History of the British Petroleum Company*; F. C. ヘレットソン『ロイヤル・ダッチ・シェルの歴史』；ENEOSのウェブサイト「石油便覧」https://www.eneos.co.jp/binran/document/index.html。

[2] ベディントンはピックのことを "the most important pioneer" と称しているように（Beddington 85）、ピックの政策は20世紀イギリス産業界の広報活動の原型として考えられている。詳細は、Rennieの "Patrons of the Modern Poster" を参照のこと。

[3] ベッチマンとロード・バーナーズの関係についての詳細は、Hillerの*John*

*Betjeman*を参照のこと。

[4] 資本主義の空間性とその問題については、エドワード・ソヤが「ポストモダン地理学の開拓者たち」として紹介するアンリ・ルフェーブルやデヴィッド・ハーヴェイなど（8）を中心として、2000代以降のモダニズム研究において盛んに議論されるテーマの一つである。詳細は、拙稿「建築に魅せられたモダニストたちとグローバル資本主義」を参照のこと。

Works Cited

Artmonsky, Ruth. *Jack Beddington: The Footnote Man*. Artmonsky Arts, 2006.

Bamberg, J. H. *The History of the British Petroleum Company: The Anglo-Iranian Years, 1928-1954*. Cambridge UP, 1994.

Beddington, Jack. “Patronage in Art To-day” in *Art in England*. Edited by R. S. Lambert. Penguin, 1938, pp. 82-87.

Bell, Clive. “Shell-Mex and the Painters.” *New Statesman and Nation*. no. 17, 1934, p. 946.

Bell, Quentin. *Charleston: Past and Present*. Hogarth, 1987.

Connolly, Cyril. “The New Medici.” *Architectural Review*. vol. lxxvi, no. 452, July, 1934, pp. 2-4.

Esty, Jed. *A Shrinking Island: Modernism and National Culture in England.* Princeton UP, 2004.

Fry, Roger. *Art and Commerce*. L. & V. Woolf, 1926.

Harris, Alexandra. *Romantic Moderns: English Writers, Artists and the Imagination from Virginia Woolf to John Piper*. Thames and Hudson, 2010.

Harvey, David.*The Condition of Postmodernity*. Basil Blackwell, 1989.

Heller, Michael. “Corporate Brand Building at Shell-Mex Ltd. in the Interwar Period” in *Trademarks, Brands, and Competitiveness*. Edited by Teresa da Silva Lopes and
Paul Duguid. Routledge, 2013, pp. 194-214.

Hewitt, John. “The ‘Nature’ and ‘Art’ of Shell Advertising in the Early 1930s.” *Journal of Design History*, vol. 5, no. 2, 1992, pp. 121-139.

Hillier, Bevis. *John Betjeman: New Fame, New Love, 1934-1958*. John Murray, 2002.

Jonker, Joost and Jan Luiten van Zanden. *From Challenger to Joint Industry Leader, 1890-1939: A History of Royal Dutch Shell*. Oxford, 2007.

Kirkham, Pat. *Harry Peach: Dryad and the DIA*. Design Council, 1986.

Leavis, F.R. *Mass Civilisation and Minority Culture*. Minority, 1930.

O'Donnell, Nathan. *Wyndham Lewis's Cultural Criticism and the Infrastructures of Patronage.* Oxford Up, 2020.

Rennie, Paul. "Patrons of the Modern Poster." *Modern British Posters: Art, Design & Communication*. Black Dog, 2010. pp.33-75.

Rotha, Paul. *Documentary Diary: An Informal History of the British Documentary Film 1928-1939*. Secker & Warburg, 1973.

Sheldon, Cyril. *A History of Poster Advertising*. Chapman & Hall, 1937.

菊池かおり「建築に魅せられたモダニストたちとグローバル資本主義」『ヴァージニア・ウルフ研究』第39号、2022年、pp. 86-98。

河野真太郎『〈田舎と都会〉の系譜学——20世紀イギリスと「文化」の地図』ミネルヴァ書房、2013年。

F. C. ヘレットソン『ロイヤル・ダッチ・シェルの歴史』近藤一郎・奥田英雄訳註、石油評論社、1959年。

菅靖子「イギリスの『ポスター芸術』におけるパトロネージの役割」、『デザイン学研究』第46巻、6号、2000年、pp. 37－46。

吉川朗子「道のパラドクス——ロマン主義的観光と自然保護」、『英文学研究——支部統合号』第12巻、2019年、pp. 213-220。

おわりに

大衆化時代の英国若者文化を、モダニティ論によって、再解釈したりする？

大田 信良

本書『ブライト・ヤング・ピープルと保守的モダニティ――英国モダニズムの延命』の概要を述べるなら、おおよそ以下のようになるだろう。

はじめに 「ブライト・ヤング・ピープル」の（不）可能性と（反）リベラリズム
（髙田 英和）

20世紀初頭の1920年代に出現したとされる、「ブライト・ヤング・ピープル」が、すなわち、主としてパブリックスクール出身の知的貴族階級の男性たちとそれを取り巻く女性たちによって構成・編制される自由な若者たちが、文学史上においてはいわゆるハイ・モダニズムの時代に、何を思いどのように生きたかということを「リ・デザイン」することで、モダニティの大衆化がさらにグローバル化した21世紀のいま、英国モダニズムの文学および文化をより幅広くトータルにとらえ、と同時に、批判的に読み直すということを、本書は試みた。そのときの問題意識は、われわれが、意識、無意識にかかわらず、（1920年代をも含めて1930年代から今現在までの）あらゆる事象と問題を、リベラリズムあるいはリベラル史観のうえで、考え戯れるということを、本気で、止め捨て、そして、それに代わる社会の可能性を希求しても、良いのではないか、という点にある。

別の言い方をするなら、次のようにも言えよう。われわれが企図したのは、本論集が考える歴史的条件としてのモダニティ、つまりは、英国リベラリズムまたは資本主義をめぐる問いと答えへの対応として、大衆化の時代である20世紀のブライト・ヤング・ピープルの文化をとらえ直すことであった。そうしたとらえ直しを実践する各論考は、また、それぞれのやり方で、戦間期英国のモダニズムとそのいろいろな解釈・研究を批判的に吟味することにも差し向けられている、と。

第1部　ブライト・ヤング・ピープルの文化とモダニティ

第1部は、第二次世界大戦後の冷戦期米国における英国モダニズムの制度化に対して対抗するかたちで勃興したポストモダニズム以降の歴史状況において、さらに繰り返しなされたモダニズムの制度化を問題にした。こうしたモダニズムの再制度化のなかでもブライト・ヤング・ピープルの文化と結びついたきわめて注目すべき例が、英米両国の間をトランスアトランティックに行き来しながら活動したマーティン・グリーンの『太陽の子供たち』であったが、三つの各論考は、いくつかの再制度化の試みによる英国モダニズムの延命を批判的に吟味し、また、脱構築的に破壊することをおこなった。

第1章　洒落者（ダンディー）たちの戦間期
――ブライト・ヤング・ピープル、王室とメディア、そしてモダニズム
（大道 千穂）

第1章は、導入として、ブライト・ヤング・ピープルの文化に関する研究書の古典に数えられるマーティン・グリーンの『太陽の子供たち』（1976年）の仕事の内容や意味を、簡潔にそしてまたわかりやすく図式化して（再）確認した後で、洒落者（ダンディー）たちの戦間期を問題にした。大衆化の時代を迎える20世紀英国社会の福祉政策の萌芽やリベラル化の要因として1880年代以降緩やかにそして着実に進んだ貴族階級の凋落は大きいが、モダニティとは対極に位置する存在と思われがちな貴族階級は、実は、軽やかにそして鮮やかに時代の波に付いて行っていた。こうした歴史状況を端的に示すのが、ヴィクトリア朝からエドワード朝にかけての政財界、実業界の中心に父を持つ子息が中心を占めるブライト・ヤング・ピープルと彼らがカルト的に崇拝したプリンス・オヴ・ウェールズ（のちのエドワード8世）、ともに時代の精神を代表する洒落者（ダンディー）（Dandy）たちであった、というのが大道の議論の要諦だ。つまり、王室とメディアをめぐる問題が——戦間期の王室・上流階級がこの時代に台頭した大衆メディアと共依存的な関係を築くなか、階級という権力に代わる、セレブとして手にしたポピュラーな人気という力・パワーの問題が——、ポイントをおさえつつ手際よくたどられる。さらには、こうして得た力を社会的な力に変えることができた新聞王ビーヴァーブルック卿と併置しながら、人気を後ろ盾に王位を守ることができなかったエドワード8世がたどった人生・キャリアの物語を、大衆化時代を生き抜こうとした洒落者(ダンディー)たちの挑戦のアレゴリーとして、とらえることによって、英国モダニズム制度の延命という問題にアプローチすることを提案する。大衆化、グローバル化の動きとは逆の、内向き、エリート主義的な文化を築いたとされてきたハイ・モダニズムであるが、そのモダニズムを成立させた芸術家たちも、洒落者(ダンディー)たちと同じ時代そして似たような環境で生きた者たちが多く、大衆的な人気を誇った彼らの動きに対して決して無関係でも無関心でもなかった。最後に、この章の末尾は、王室または上流階級に出自をもつ若者文化との関係でモダニズムを見直すことは、これまでとはまったく異なるモダニズム論の（不）可能性を指し示す作業であると示唆するだけでなく、文学にとどまらず今後の各国の君主制の在り方までも考えるべきだという問題提起となっている。

第2章　ディアギレフ的でリーヴィス的
——シットウェル三姉弟のモダニズム
（井川 ちとせ）

第2章は、ハイ・モダニズムの1920年代に活躍しながら、英文学の学的制度化の過程で「詩ではなく宣伝の歴史に属す」と周縁化されたシットウェル三姉弟の再評価を試みた。しかるにこの試みは、不当にも忘却の淵に追いやられた三姉弟をモダニストに格上げし、またそうすることで異質なものを包摂する「複数のモダニズム」の豊かさを言祝ぎ、モダニズムという制度の延命を図るものではない。F. R. リーヴィスの創生した英文学の「偉大なる伝統」は、19世紀末以降の「小英国」の思想に共鳴しつつ、自らが対立させた二項の境界—— 国境のみならず、公／私、正規／非正規教育、ハイ／ミドルブラウなどなどの境界――を「厳格〔rigorous〕」に管理する企図であったと言えるが、その管理をよそにさまざまな項が相互浸潤するさまを、リーヴィスに師事したマーティン・グリーンは1976年の著書で「ディアギレフ的でもありリーヴィス的でもある」と表現した。「イングランド文化のふたつの側面」という二項対立を手放さないことはグリーンの限界のように見えるが、「真面目さ」を「プロレタリア的価値観を持ち散文的な生活を送る人びとの領分」と見なし、「軽薄さ」を扱うことを戒めるような20世紀後半の批評風土にあって、1918年以降のイングランドのディアギレフ的側面にグリーンが強い光を当てたことは大きな功績である。この章では、「ディアギレフ的」ダンディズムを代表するイングランド人とグリーンが見なし、ブライト・ヤング・ピープルの一員のようにもブライト・ヤング・ピープルの庇護者にも見える三姉弟の去就を追うことで、大戦間期の精神史の、静的な図式化にそぐわない両義性を記述した。ブライト・ヤング・ピープルをめぐるグリーンやその後の文学・文化研究が設定するさまざまな二項対立を一見経験主義的ともみえる手つきで次から次へと脱構築する井川の議論は、シットウェル三姉弟を中心化するような英国モダニズム制度の不可能性を、前もって、提示しているともいえる。

第3章　「ブライト・ヤング・ピープル」の黄昏と戦間期以降の英国リベラリズムの文化
（髙田 英和）

第3章は、黄昏を迎えたかにみえる「ブライト・ヤング・ピープル」の影・亡霊あるいは残滓に着目しながら、1930年代（さらには50年代・Mid-centuryおよび「インクリングズ」の系譜をも視野に入れて）英国の社会／文化を見ることが、逆照射的に、今の、グローバル化の時代の、社会的／文化的な事象を見ることに繫がっているということを論じた。言い換えると、現代における、たとえば、大衆化や多様性・アイデンティティの「正しさ」という認識の仕方が、なぜ、どのように、構築されたのか、ということを、30年代を通して、批判的に、考えることに、その目的がある、ということだ。端的に言えば、この論考の主張は、「ブライト・ヤング・ピープル」とその文化という歴史的事象を浮かび上がらせることによって、「モダニズム」英文学研究を再度盛り上げるということでは決してなくて、むしろ、逆で、英文学研究としての「モダニズム」を戦間期以降の英国リベラリズムの文化として批判的にとらえなおすことこそをやるべきだ、と主張したのだ。

インターメッツォ　「英文学」と「モダニズム」
——オックスフォードと「英国の、あるいは、英国による」リベラリズム
(髙田 英和)

「英文学」・英国モダニズムの再制度化の例として、21世紀英国のMarina Mackayの*Modernism and World War II*を具体的に標的にしたうえで特に念を入れて問題にしたのが、インターメッツォである。Mackayの「英文学」研究において、あいかわらず延命された「モダニズム」の優位ならびにオックスフォードのそれが、「英国の／による」リベラリズムの推進と、密接に相互に関連している点を鋭くかつまた的確に指摘した。そのオックスフォード英文学を批判的にとらえるポイントは、第2部で問題にする拡張するリベラリズムの帝国という議論にもつながる、以下の二つ。①Mackayが、20世紀も（21世紀もそうだが)、「英文学」の中心は、米国ではなくて、「英国」にあり、それは、詰まるところ、世界の覇権は（「近代」以降）依然として、英国が握っているのであり、それを維持、可能としているのが、英国のリベラリズムにこそ存する、ととらえること。そして、②このことが行われているのが、特に、政治、経済のレベルではなく、「文化」のレベル、「英文学」という想像のレベルであるのが、非常に重要である、と同時に、非常に巧妙になされている、ということの批判的認知。

第2部　保守的モダニティと拡張するリベラリズムの帝国

第2部でも、引き続き、ブライト・ヤング・ピープルと英国モダニズム制度の延命との関係が別のかたちで問題にされた。まずは、第4章で、ア

リソン・ライトの保守的モダニティ論が実のところサッチャリズム以降の英国のネオリベラリズム・ネオコンサーヴァティズムという支配的な政治文化の状況を批判の標的にしていたことをあらためて確認したうえで、保守主義のかたちを取って戦間期英国の表面上はナショナルな空間に存続したそのリベラリズムのイデオロギーとリベラリズムの帝国としての大英帝国の拡張とが結びついていたのではないか、と三つの章がそれぞれに論じた。

第4章　20世紀の世界において保守主義に籠ったリベラルな英国文化？
——A・P・ハーバートの「ヒウマーの特性」と喜歌劇『タンティヴィ荘』
（大谷 伴子）

モダニティが大衆化された時代に、『パンチ誌』のリベラルな伝統を新たなやり方で継承・イノヴェーションしてみせたA. P. ハーバート『タンティヴィ荘』とそのいくつかのサブテクストを取り上げることにより、ブライト・ヤング・ピープルの文化を、伝統的でリベラルな「ヒウマーの特性」と合わせ鏡にして、とらえ直してみたのが第4章である。まずは、再確認されたライトの保守的モダニティ論がイデオロギーとして批判されるポイントをふまえ、ハーバートのテクストを特徴づける英国的なユーモアを、モダニティという問題機制において、解釈したらどうなるか。20年代のブライト・ヤング・ピープルが存在した都会とトールキンやルイス、ミルン、バリが文化的イメージとして持ち上げた30年代の田舎との対立をふまえたうえで、実はその田舎と都会ならびにそれと結びつけられる狩猟と芸術、貴族とボヘミアンといった対立を媒介するかたちで、よりソフトにより分かりやすくポピュラーなかたちで、モダニティの大衆化を表象したのが、ハーバートの『タンティヴィ荘』だった、と論じている。別の言い方をすれば、その喜歌劇がその部分を構成するブライト・ヤング・ピープルという階級横断的な若者文化がそれでも完全には解消できなかった政治的・経済的階級格差の問題を、狭義の文化的概念によって代替することにより、拡張するリベラリズムの帝国を指し示していた、ということだ。

第5章　モダニティ論とさまざまなモダニズムが誕生するわけ
——ヴァージニア・ウルフ『ダロウェイ夫人』と記憶／トラウマ論再考
（大田 信良）

第5章は、ブライト・ヤング・ピープルという若者文化の共同体・コミュニティ空間とは別に、第一次世界大戦後に発足した国際連盟という国際政治またはリベラルな国際秩序の空間に目を向けた。具体的には、ヴァージニア・ウルフ『ダロウェイ夫人』に存在するthe Armenian genocideの断片的かつ徴候的な表象に注目し、21世紀初めになされた記憶／トラウマ論を再考した。言い換えれば、トラウマ論によるウルフ解釈が暗黙のうちに前提としている国際秩序に関するリベラリズムや人道主義に対する批判や1930年代にすでになされていた階級・大英帝国に対する政治的諷刺による解釈をふまえて、この論考は、戦間期ヨーロッパの地政学の空間による再解釈の可能性を提示した。この章では、こうしたトラウマ論再考を提示した後に、ちょっと長めの補遺を付加しているが、それは、まず、トラウマ論によるウルフ解釈が姿をあらわしたことが告知する、英国モダニストの典型的な作家としてウルフをみなすのとは異なるフェミニズム研究の展開に、目印をつけるためだった。また、そうした21世紀版ウルフ解釈は、さまざまなモダニズムが誕生する契機におけるひとつのヴァージョンでもあった。そして最後に、この章は、さまざまなモダニズムが誕生する状況が止まることのないからくりを、「リーディングのアレゴリー」にいたるPaul de Manの仕事とその反リベラリズムの立場による再解釈を使用して、探ってみた。

第6章 “Artists, archaeologists, architects, etc. prefer Shell”
——1930年代の英国文化と国際石油資本シェル
（菊池 かおり）

最後に、20世紀の国際石油資本シェルを取り上げる第6章は、活動的なブライト・ヤング・ピープルの派手に活動的な移動をマテリアルなレベルで可能にした乗り物のエネルギー、すなわち、19世紀の鉄道を動かした石炭に取って代わった自動車を駆動させる石油に注目した議論になっている。1930年代英国の文学・文化は、収縮した英国国内の空間にみえた田舎が都会のメトロポリス、ロンドンだけでなくトランスナショナルにヨーロッパ・アジアの空間にも結びつきながら、編制されていたことが明らかにされる。次のように言い換えることもできる、「エネルギーの時代」と称される20世紀の国際政治経済関係において主導的な役割をはたしてきた石油を起点として、ナショナルな、内向き指向の系譜で読まれてきた1930年代の英国文化を再考・再編する重要性を前景化することが、この章の狙いだった、と。当時、英蘭にまたがる二重の株式構造を保持したロイヤル・ダッチ・シェルの英国フロント企業シェル・メックスの芸術と自然を取り込んだ広報戦略を、特に、取り上げることにより、ブライト・ヤング・ピープルの文化と交差しながら、ハイ・カルチャーとポピュラー・カルチャー、保守とリベラルなど、相反する勢力がせめぎ合い、織りなす30年代の英国文化の風景と、現在のグローバル社会につながる文脈との関連性が鮮やかに映し出される。このように、30年代の英国文化空間を、世界恐慌によって自由主義経済の信頼が地に落ちるのと反比例して社会主義思想が普及したという単純な図式ではなく、その水面下において、グローバルな資本と結びつきながら存続･延命したモダニズムの系譜として理解し、問題意識をもって再検討することが、21世紀のいま希求されているのではないか、と主張した。

*

現代の学術市場では、ポストモダニズムはその価値や流通が凋落する一方で、そしてまた、モダナイゼーションという問題は賛成・反対が喧しくなされまたそれらふまえた再定義を経ていまのところまだ流通しているときに、いろいろなモダニティ論は売れる、とSusan Stanford Friedmanはグローバル化に対応した彼女のモダニズム論*Planetary Modernisms: Provocations on Modernity across Time*. Columbia UP, 2015において言ってのけたことがある。モダニティについてのさまざまな議論は盛り上がりをみせており、それを論じたいくつもの本が売れ就職をもたらす、ブランドとしてのモダニズムと同じように。以下では、モダニティ論の意味やイデオロギーを、モダナイゼーションならびにモダニズム、さらにはポストモダニズムとの関係を整理することにより、それによって大衆化時代の英国若者文化であるブライト・ヤング・ピープルを再解釈することの妥当性を疑問に付すことを述べてみるが、その際に、狭義の文学・文化研究を超えたFredric Jameson, *A Singular Modernity: Essay on the Ontology of the Present*. Verso, 2002のイデオロギー分析の射程を確認することも同時に行いたい。

実際、いまでも、あるいは、21世紀のはじめからしばらくの間は特に、過去の古いものへの回帰と復活を示す現象として、ライフ・サイエンスにおけるクローンや遺伝子操作の問題にも関わりながら倫理学が、また、神学・形而上学または宗教への関心が再来し、まるで伝統的な哲学が蘇ったようでもあった。そしてさらに、18世紀に特に熱心に論じられたが19・20世紀の労働者階級の種々の運動そしてまた革命・イデオロギー対立の時代を経験したあとではいささか時代遅れに思われる政治哲学のようなものも再度出現し、憲法・政体やシティズンシップ、市民社会と議員代表制、責任と市民道徳が今なお議論されている。中等ならびに高等教育の空間においても、多様性・人権・環境あるいはSDGsといったタームをめぐり、新たにグローバルに出現・編制されるシティズンを人材育成するための道徳や社会的公正を学ぶことが期待されている。前世紀の冷戦が終結しグローバル化の進行とともにネオリベラリズムが台頭したときにあらわれたのは、情報革命やミルトン・フリードマン、フリードリヒ・ハイエク、カール・ポッパーらが自由市場を称揚するために再発明した古い経済学だけではなく、上記のようなモダニティ論の数々だった、のかもしれない。Friedmanのいい方を少しばかり皮肉を込めて借用するなら、それらは、18世紀に歴史的に出現した国王・貴族階級とは異なる近代ヨーロッパの中産階級であるシティズンとその市民社会の商品イメージについての魅惑的な議論を、21世紀にデザインし直しパッケージを変えて改装セール用に大量生産したものだった、といえよう。

こうした時代遅れともいえるモダニティというタームの復活は(ただし、

歴史的可能性の条件としてのモダニティとここで言及しているいろいろなモダニティ論におけるそれは区別されなければならない、そして、前者のモダニティについては本論集の大谷章における説明を参照のこと)、英米を中心とする英文学の研究・教育を含むグローバルな文学・文化研究において歴史的展開・転回したモダニズムやポストモダニズムとどのような関りがあったのか、ちょっとだけ、振り返っておこう。英国モダニズムが、戦間期・戦中の後期モダニズムを経て、戦後、米国で制度化されたが、このとき、なにがおこったのか。ひとつには、美学者・知識人による盛期モダニズムが可能性として有していた美学的・社会的変革へのいまだ理解不可能な絶対性・ユートピア性への欲望が、マス教育を受けることになった新たに登場してきた大学生という階級分派向けのミドルブラウ文学としての後期モダニズム、すなわち、社会の政治・経済的レベルから切り離された自律した文学言語によって、置き換えられた。

もうひとつ、20世紀の新たな中産階級としての大学生を読者層とする制度化されたモダニズムは、また、ミドルブラウあるいはマスカルチャー・商業文化として消費文化の一部をなしていたといえるわけだが、このような意味での理解可能な後期モダニズムと中産階級の分派としての穏健な大学生層の階級性こそ、ポストモダニズムが大衆性・ポピュラーなるものという名のもとに、徹底的に否定し別れを告げようとしたものであった。たとえば、モダニズムの研究・教育制度のエリート主義やそれが孕む抑圧――天才・予言者への崇拝と観客・大衆への侮蔑。そしてまた、その性差別をあからさまに含む男性中心主義・男根中心主義や消費文化・商業主義と共振するような常に新しいものを求める目的論的美学なども、進歩や工業化を西洋中心主義のモダナイゼーションとして弾劾する左翼批評家だけでなく、ある種のフェミニズムやエコロジー運動によっても批判の的になったはずだ。つまり、1990年代はじめの頃には、ポストモダニズムとフェミニズムが連携したりした仕事や、さらには、ポストコロニアリズムがポストモダニズムとしても論じられるようなことがあったのだ。

あらためて、モダニティというターム・概念の復活は、どんな意味・効能があるというのだろう、世界に先駆けて近代化を成し遂げたことになっておりその売り込みを世界中におこなう使命を帯びた者たちにとって。いろいろなモダニティ論のイデオロギーについて、21世紀のはじめに、すでに提示していたJamesonの論点を、簡単に、確認しておこう。Jamesonの*A Singular Modernity*については、米国におけるモダニズムの制度化や後期モダニズムの歴史的編制やその意味について文学・文化の研究者の一部は反応したのではあったが、もしもわれわれがJamesonが明示的に問題にしたモダニティ論のイデオロギー的機能の射程をネオリベラリズムによって変容した高等教育を含む資本主義世界の全体性において十分に注意してきてはいなかったのだとしたら、このような確認作業はいまからでもおこなうべきではないか。とりわけ、ナショナルな文学・文化から切り離されてグローバルなコミュニケーションのツールとしてのみそのスキルが主に注目されて終わりがちな英語に「英文学」またはイングリッシュ・スタディーズによって関与する日々をおくっているわれわれにとって、意味がないことではなかろう。英国あるいは西洋中心の工業化による進歩や大衆の欲望する大量生産・大量消費を取り込んだ官僚制によるモダナイゼーションがどんどんと魅力を失い色褪せていくなかで、それでもなお発展途上国あるいは新興市場国とよばれる各国はモダニティを目指している。実際には今日存在する独立国家は近代化して久しい国家もあるがそれは考慮しないことにして、西洋諸国は彼らの誰もまだもっていないそして欲望しているなにか特別なもの、すなわち、モダニティをもっている、ということにしよう。こうした幻想をもち続け世界中に拡散し広め続けることを可能にするマジック・ワードこそ新たに呼び起こされ復活を遂げたモダニティにほかならない、というのが、第一段階における、Jamesonの説明・解釈だ。

こうした解釈を、ここで具体的にイメージするために、たとえば、現在の英語教育・学習について考えてみてもよい。帝国主義・植民地主義の時代に宗主国である英国によって植民地その他の国々の英語を母語としない人びとに英語習得を押し付けたのとは違って、つまり、いわゆる英語帝国主義の議論が批判したのとは違って、国や文化が異なる人びととコミュニケーションをするのに必須なものとしていまでは英語を自ら欲望するというのがグローバル化の時代なのだ、といったように想像したり議論したりするときのことを。また、現況の英国における英文学・モダニズム研究について確認するならば、Marina MacKayおよびその追随者たちが次々と生産しつつある仕事の意味も、冷戦自体のイデオロギーはすっかり過去のものになり完全に終焉したようにみえる21世紀に入って、Jamesonがイデオロギーの形式分析の俎上にのせた後期モダニズムを一応のところはふまえた身振りを示しつつ、新たに英国版「後期モダニズム」を、さまざまなモダニズムの誕生のニュー・ヴァージョンとして、そしてまた、21世紀のグローバル化の時代にふさわしいグローバル・シティズン育成と連動する文学研究・教育の教材・キャノンとなるようなミドルブラウ文学として、再編し再制度化したことにあると、みなすことができよう。そして、冷戦期の制度化とは別のかたちでとりわけ冷戦終結後というタイミングで、このように再制度化されたモダニズムは、ケンブリッジ大学出版局のイントロダクション・シリーズやオクスフォード大学出版局の各種ハンドブックをツールとして、旧社会主義国の学生・研究者たちの――そしてまた、日本・中国等東アジアの少なからざる英文学研究者たちの――欲望を誘発するものとなっていたりする。イデオロギーとしてのモダニティ論は、このようなやり方で、西洋世界がその他の世界に生活するわれわれひとりひとりを誘なったり私たちが読解したり解釈したりすることを要請するように作動する。ここにみられるのは、過去のブライト・ヤング・ピープルを含む英国リベラリズムの文化にだけでなく、今なお依然として存続するばかりかグローバルに拡散・拡張されたかにみえる階級（再）編制のイデオロギー、すなわち、スノビズムか。

モダニティ論のイデオロギー分析、その第二段階に移ろう。Jamesonはモダニティ論が提示されるまたは語られる形式における矛盾を次のように指摘していた。そもそも、Jamesonにとってのモダニティがもつ根本的な意味（換言すれば、歴史的可能性の条件としてのモダニティ）とは、世界規模の資本主義のそれ、すなわち、世界・社会の多種多様な境界を越えてあらゆる階層や差異を水平化・標準化することによって資本主義世界の空間をフラット化する機能・作用にほかならないのではあるが、*The Consequences of Modernity* (1991)をものして90年代以降のモダニティ論の最も影響力のあるイデオローグとなったAnthony Giddensとモダニティのとらえ方において共有する点もある。それは、モダニティとは不完全なあるいは部分的なモダナイゼーションという状況をあらわす一連の問いと答えであるととらえる点であり、こうしたとらえ方は、モダニティは中産階級とその経済システムによって完結することがなかったがゆえに未完のままなのだと主張したユルゲン・ハーバーマスの「未完のプロジェクトとしての近代性(modernity as an unfinished project)」とも、類似性がなくもない。ちなみに、Jamesonの場合、ポストモダニティは、農業の産業化つまり伝統的な小作農の階級（all traditional peasantries）の根絶そしてまた人びとの無意識の植民地化・商業化つまりマスカルチャーと文化産業といった二つの成果に集約されるような、はるかに完結した傾向をもつモダナイゼーションのもとで獲得される、と規定している。ポストモダニティあるいはポストモダニズムを自らのモダニティ論によって置き換えたGiddensはといえば、旧来の嫌悪すべきモダニティと新たなモダニティ論の歴史状況をあらわすグローバルな自由市場や情報革命とを、弁別することができないのではないか。

Giddensの議論が形式的に抱える矛盾とは、狭義の文化を超えたポストモダニズムの概念と分かちがたく結びついた政治的・経済的・システム的問題に自らも立脚して論ずることを避けると同時に勃興する中産階級が支配的なシステムの一部である市民社会やシティズンシップの政治哲学を論じることに陥ってしまうところに見出される。ただし、こうした矛盾は、いくつかの代替物あるいはオルターナティヴ・モダニティを、すなわち、政治・経済のマテリアルなレベルからは切り離された「文化的」概念を、使用することによって切り抜けようとされるのかもしれない。たとえば、サミュエル・ハンティントンの「文明の衝突」論にならって、標準的または支配的なアングロ・サクソン的モデルとは文化的・文明的に異なるモデルが形成・存在可能なのだ、といったように。その場合には、ポストモダニティに規定された世界にとめどなく出現したディズニー化された文化復興とは対極にある、なにものにも穢されることも変更されることもない純正の文化的差異といった欺瞞的ヴィジョンが語られることになるのかもしれない。だが、資本主義の世界規模の標準化・水平化の力を認識するなら、普遍的な市場秩序に植民地化される未来世界に文化的差異をご立派な態度で信じたり希望をもったりすることはきわめて疑わしい。むしろ必要なのは、こうした欺瞞のイデオロギー性を批判的に吟味したり場合によっては暴露したりすることによって、グローバル資本主義世界の展開・転回の過去や未来についてのそれぞれのナショナルな状況において異なる歴史をユートピア的に掘り起こすことだろう。

21世紀のいま現在の英国の文学・文化研究求められているのは、『アール・デコと英国モダニズム――20世紀文化空間のリ・デザイン』（菊池かおり・松永典子・齋藤一・大田信良編著、小鳥遊書房、2021年）で取り上げた「大衆ユートピアの夢」によって、新たに中流階級化する個人たちをターゲットにしたような、モダニティ論の古びた概念に回帰し、たとえばそこで過去から復活させたシティズンシップによって英文学の再制度化を続けることなどではない。いま必要なイングリッシュ・スタディーズは、むしろ、そうした再制度化を、集合的な大衆性・ポピュラーなるものを未来に向けて掘り起こす作業によって、取り換えてしまうことではないのか。こうした作業に向けて、戦間期英国の貴族的な若者文化を取り上げた本論集『ブライト・ヤング・ピープルと保守的モダニティ』の協働研究は、企図されており、であればこそ、われわれは、大衆化時代の英国若者文化を、モダニティ論によって、再解釈したりは、しない。

*

本書の始まりは、日本ヴァージニア・ウルフ協会第41回全国大会シンポジウム「Bright Young Thingsの／とモダニズム」（司会・講師：髙田英和、講師：大道千穂・井川ちとせ）2021年11月7日（日）Zoom開催にある。そもそもは、21年の春、Bright Young Thingsあるいはブライト・ヤング・ピープルをめぐるシンポジウム案が大道により大会委員のミーティングに提案されその後運営委員会を経たあと、同じく大会委員のひとりである大田も関わりながら、このシンポジウムの企画と準備を進めた。髙田のほかに、ウルフ協会外から井川を招き、毎月1回のオンライン研究会を開催しながら大会当日を迎えた。これが、この論集の第1部の始まりをなしている。さらにその後も、「Bright Young Thingsの／とモダニズム」をもとにした論集出版を企画することになり、新たなメンバーとして、大谷伴子、菊池かおりそして大田を加え、同様のペースでオンライン研究会を継続してきた。第1部の議論のあとに現況のモダニズム研究の具体例を取り上げて批判的に検討を加えた高田のインターメッツォが挿入され、続く第2部は、シンポ後に加わったメンバーの論考で構成されている。このようにして、『ブライト・ヤング・ピープルと保守的モダニティ』は出来上がった。もうひとつ付け加えておくなら、高田・大道をはじめとする執筆者の顔ぶれからも推察されるように、また、1920・30年代を焦点にしながらも英文学研究を前景化するとともに21世紀の現在につながる20世紀の文化を取り上げている点からも明らかかもしれないが、本書は、前作『アール・デコと英国モダニズム――20世紀文化空間のリ・デザイン』のスピン・オフとしても、企画されている。

本論集の出版にあたっては、前作『アール・デコと英国モダニズム――20世紀文化空間のリ・デザイン』と同じく、小鳥遊書房の高梨治さんに、お世話になった。著者たちの原稿のスタイル・形式をほぼそのまま受け入れていただき、われわれみんな、かなり自由に換言すれば大胆かつ細心に論じることが可能であったこと、心より感謝申し上げます。

索　引

おもな「人名（＋作品名）」と「事項」を五十音順に示した。
作品名は作者である人名ごとにまとめてある。

【人名（＋作品名）】

◉ア行

◉カ行

◉サ行

◉タ行

◉ナ行

◉ハ行

◉マ行

◉ラ行

◉ワ行

【事項】

◉ア行

◉カ行

◉サ行

◉タ行

◉ナ行

◉ハ行

◉マ行

◉ヤ行

◉ラ行

◉ワ行

【編著者】

◉**髙田 英和**（たかだ　ひでかず）［はじめに、第3章、インターメッツォ］

福島大学教授／近現代イギリス文学・モダニズム／「リベラリズムと帝国主義——少年冒険物語『ピーター・パン』の（不）可能性」『言語社会』9号（2015年）、「A・A・ミルン、スコティッシュ・モダニズム、菜園派」『ヴァージニア・ウルフ研究』36号（2019年）、「スコットランドと都市計画者の20世紀——Patrick Geddesの植民地なき帝国主義」『アール・デコと英国モダニズム——20世紀文化空間のリ・デザイン』（小鳥遊書房、2021年）他。

◉**大道 千穂**（おおみち　ちほ）［第1章］

青山学院大学教授／イギリス文学・文化／「おひとりさまのロンドン——『遍歴』にみる働く独身女性表象と現代」『終わらないフェミニズム——「働く」女たちの言葉と欲望』（研究社、2016年）、「ユダヤ人、ホロコースト、そしてアイリス・マードック——ポスト・ヒットラーの世界における癒しの可能性」『戦争・文学・表象——試される英語圏作家たち』（音羽書房鶴見書店、2015年）、「あるびよん・くらぶ再評価——『あるびよん——英文化綜合誌』から考察する戦後日本の英文学」『ヴァージニア・ウルフ研究』36号（2019年）他。

◉**井川 ちとせ**（いかわ　ちとせ）［第2章］

一橋大学大学院教授／イギリス文学・文化／「抑圧と解放？——ヴィクトリア朝小説に見る生命、財産、友情、結婚」『個人的なことと政治的なこと——ジェンダーとアイデンティティの力学』（彩流社、2017年）、「「ミドルブラウ」ではなく「リアル」——現代英国における文学生産と受容に関する一考察」『英国ミドルブラウ文化研究の挑戦』（中央大学出版部、2018年）、「情動と「多元呑気主義」——ポストクリティークの時代にD. H. ロレンスを読む」『言語文化』56号（2019年）、「読書会の効用、あるいは本のいろいろな使い道——イングランド中部Tグループの事例（2）」『言語文化』58号（2021年）他。

◉大田 信良（おおた　のぶよし）［第5章、おわりに］

東京学芸大学教授／イギリス文学・文化／『帝国の文化とリベラル・イングランド——戦間期イギリスのモダニティ』（単著、慶應義塾大学出版会、2010年）、「オクスフォード英文学とF・R・リーヴィスの退場——「グローバル冷戦」におけるポスト帝国日本の「英文学」とロレンス研究」『D. H. ロレンス研究』29号（2019年）、「英国ショップ・オーナーの「居場所」、あるいは、グローバル・シティズンシップという夢——消費の帝国アメリカの勃興？」『メディアと帝国』（小鳥遊書房、2021年）他。

【執筆者】

◉大谷 伴子（おおたに　ともこ）［第4章］

インディペンデント・スカラー／イギリス文学・文化／『マーガレット・オブ・ヨークの「世紀の結婚」——英国史劇とブルゴーニュ公国』（春風社、2014年）、『秘密のラティガン——戦後英国演劇のなかのトランス・メディア空間』（春風社、2015年）、「リ・デザインされる美しさ——ロマンスと生殖とケア」『アール・デコと英国モダニズム——20世紀文化空間のリ・デザイン』（小鳥遊書房、2021年）、『ショップ・ガールと英国の劇場文化——消費の帝国アメリカ再考』（近刊、小鳥遊書房、2023年）他。

◉菊池 かおり（きくち　かおり）［第6章］

大東文化大学准教授／イギリス文学・文化／“A Conjunction of Architecture and Writing of Virginia Woolf: Sexuality and Creativity in *Orlando*”『英文学研究』92巻（2015年）、「イギリス文学」『専門学へのいざない』（成文堂、2020年）、「ポストモダニズム建築の多元性とその可能性」『アール・デコと英国モダニズム——20世紀文化空間のリ・デザイン』（小鳥遊書房、2021年）、「建築に魅せられたモダニストたちとグローバル資本主義」『ヴァージニア・ウルフ研究』第39号（2022年）他。

ブライト・ヤング・ピープルと保守的(ほしゅてき)モダニティ
英国(えいこく)モダニズムの延命(えんめい)

2022年12月28日　第1刷発行

【編著者】
高田英和、大道千穂、井川ちとせ、大田信良

【著者】
大谷伴子、菊池かおり

発行者：高梨 治
発行所：株式会社**小鳥遊書房**(たかなし)
〒102-0071　東京都千代田区富士見 1-7-6-5F
電話 03 (6265) 4910（代表）／FAX　03 (6265) 4902
https://www.tkns-shobou.co.jp
info@tkns-shobou.co.jp

装幀：宮原雄太／ミヤハラデザイン
印刷：モリモト印刷株式会社
製本：株式会社村上製本所

ISBN978-4-86780-005-8　C0098
2022, Printed in Japan